王樹柟撰

# 費氏古易訂文

文史哲出版社印行

# 費氏古易訂文

著　者：王　樹　枏
出版者：文　史　哲　出　版　社
登記證字號：行政院新聞局局版臺業字〇七五五號
發行所：文　史　哲　出　版　社
台北市羅斯福路一段七十二巷四號
郵撥〇五一二八八一二彭正雄帳戶
電話：三　五　一　一　〇　二　八
印刷者：文　史　哲　出　版　社
實價新台幣六〇〇元
中華民國七十九年十一月景印初版



ISBN 957-547-019-2

# 費氏古易訂文十二卷

蕭方駿謹署

光緒辛卯季
冬刻於靑神

漢書儒林傳云費直字長翁東萊人治易爲郎至單父令長於卦筮亡章句徒以彖象系辭十篇之言吳仁傑云今本之言誤文言解說上下經案隋書經籍志云梁有漢單父長費直注周易四卷亡新舊唐書志陸德明釋文序錄並作費直章句四卷與本傳所稱亡章句者不合此僞託也隋志又別有費氏易林二卷注云梁五卷易內神筮二卷梁有易筮占林五卷唐志有費氏逆刺占災異十二卷今皆亡佚焦氏易林卷首雜識載東萊費直說一節禮記月令正義引易林不見今焦氏之書其以干支配

卦尤爲鄭氏爻辰所自出鄭爲費易其注月令益參費
說用之則正義所引爲費氏易林無疑也羅泌路史云
費直易十二篇以易卦配地域攷晉書天文志引其十
二次所起度數稱費直周易分野唐開元占經亦引之
然則費氏固別有周易分野一書爲隋唐志所不載者
史稱費氏長於卦筮蓋唐時其書猶未盡亡也
漢書藝文志云秦燔書而易爲卜筮之事傳者不絕漢
興田何傳之訖於宣元有施孟梁邱京氏列於學官而
民間有費高二家之說劉向以中古文易經校施孟梁
邱經或脫去无咎悔亡唯費氏經與古文同案後漢書

儒林傳費氏本以古字號古文易當時學者謬於棥俗趨便就易怪舊蓺而善野言故內府所藏與老師所守之古文皆不得行於其世劉氏父子篤心嚮古實以費氏古文爲尼山眞本而其文尤較三家經爲完備故別爲校著以待知者惜乎其爲俗學所抑也

後漢書儒林傳云陳元鄭眾皆傳費氏易其後馬融亦爲其傳融授鄭元元作易注荀爽又作易傳自是費氏始興案前漢京氏出而施孟梁丘之易遂微後漢費氏興而京氏之易亦沒馬鄭倡明古學爲時所宗故其力足以挽回末流刊正鄙俗自王弼易出與鄭注並行荀

崧陸澄排王伸鄭隋興儒者慕弼之學遂爲中原之師然注雖不同而所據之文變而未厲則固依然鄭氏本也

史記孔子世家云孔子晚而喜易序彖繫象說卦文言讀易韋編三絕案史不出雜卦之名序彖繫象當謂序之以彖繫之以象非謂序繫爲今之序卦繫辭也漢書藝文志云孔子爲之彖象繫辭文言序卦之屬十篇於是志以上下經及十翼爲十二篇之目漢唐以來皆以十翼爲孔子所爲馬鄭之徒更無異論今竊以爲彖象皆出於孔子繫辭以下六篇乃經師稱述孔子之詞觀篇

中引子曰可見學者相承不復辨別其文多所沿襲且雜以講疏之言故宋歐陽公疑其僞作馬鄭精於訓詁不知文事沿而不詧遂舉以當孔子之書余遍觀先秦諸子及西漢儒者鮮有引繫辭以下之文者葢孔子之書亡之久矣

正義論十翼云先儒數十翼亦有多家旣文王易經本分爲上下二篇則區域各別彖象釋卦亦當隨經而分故一家數十翼云上彖一下彖二上象三下象四上繫五下繫六文言七說卦八序卦九雜卦十鄭學之徒並同此說故今亦依之案鄭爲費易其說十翼次第葢費

氏古本如此正義又謂先儒以孔子十翼之次乾坤文言在二繫之后說卦之前以彖象附上下二經爲六卷則上繫第七下繫第八文言第九說卦第十案此所謂先儒卽鄭君之易音于俊所謂鄭元合彖象於經使學者尋省易了者也然猶附於每卦之末若今乾卦者是至王輔嗣始以彖傳象傳分繫於彖辭象辭之下又取文言附於乾坤二卦之後此鄭王兩家之別也

魏志高貴鄉公問易博士音于俊曰孔子作彖象鄭元作注雖聖賢不同其所釋經義一也今彖象不與經文相連而注連之何也俊對曰鄭元合彖象於經者欲使

學者尋省易了也帝曰若鄭元合之於學誠便則孔子曷爲不合以了學者乎俊對曰孔子恐其與文王相亂是以不合此聖人以不合爲謙帝曰若聖人以不合爲謙則鄭元何獨不謙耶俊對曰古義宏深聖問奥遠非臣所能詳盡孫志祖云十二篇次第康成亦未嘗改易高貴鄉公所云彖象不與經文相連而注連之者蓋謂孔子十翼亦卽易注仍自爲一書不附經文之下與鄭氏之以己注附於經文者不同故帝云若聖人以不合爲謙則鄭氏何獨不謙也康成注經未嘗輕改一字甯有變亂古經如是耶今案俊對高貴鄉公之問明言鄭

元合彖象於經孫氏諱此而不言殊失鄭易之眞
王璜陳元鄭衆俱爲費氏易而著述無徵馬鄭荀三家
始有易注行世隋書經籍志云梁有馬融注周易一卷
亡新舊唐書志並云章句十卷蓋隋代散亡唐時復出
故釋文敘錄亦稱其章句十卷也隋志鄭注周易九卷
釋文敘錄云十卷錄一卷七錄云十二卷唐志云十卷
案崇文總目載鄭易猶存文言說卦序卦雜卦四篇朱
氏震晁氏說之俱引其說至南宋而四篇亦佚於是浚
儀王氏應麟始有輯佚之作隋志荀注周易十卷釋文
敘錄云十卷七錄云十一卷唐志亦云章句十卷荀氏

之說雜見於九家易中孫氏堂馬氏國翰皆有輯佚而馬氏較為完備今案荀悅漢紀云馬融著易解頗生異說今觀其所言卦氣多與荀虞諸家不合此其異耳史稱融為傳以授鄭元元作易注則吾道云東蓋鄭易淵源導先於馬古文家法實賴二子鄭君恪守古經不輕改字如云噴當為動置當為德機當為幾苞讀為彪充讀為康若此之類不可縷舉後儒乃以其所訓之字作為經字反謂鄭君詁經有破字之嫌顛倒是非殊為無識荀傳費學據爻象承應陰陽變化之義以十篇之文解說經意充豫之言易者咸傳其學然其所據之本往

往參用孟氏與馬鄭不同虞翻稱潁川荀諝號爲知易且謂馬融有俊才解釋復不及之虞氏好攻鄭難馬而獨膺服於荀則荀君之易蓋時有出入不專守費氏家法也然斟同酌異參互考證猶可見今古文源流之所在焉故今訂正費本以馬鄭荀三家爲據先鄭雖無易注而其說之見於他經足資考證者亦備爲採錄王弼之易間亦取資事期有徵言必加謹古文家法亡而復存先儒有知尚其鑒我

古籀之體莫備於說文許君謂宣王大史籀著大篆十五篇與古文或異至孔子書六經皆目古文古文者兼

籒文而言漢書王莽傳徵天下史篇文字孟康云史籒所作十五篇古文書是也葢前乎孔子者皆謂之古文說文雖用嬴秦小篆而秦篆則合取古文大篆參酌爲之故許君用秦篆卽是用古籒其重文言古文作某而不言籒文者則正文卽是籒文重文言籒文作某而不言古文者則正文卽是古文其言籒文作某古文作某者則正文卽是省改參酌古籒以歸畫一之文其不列重文者則正文卽是古籒同體之文故今校費氏古易其俗文或體爲馬鄭荀諸家所不及無可取證者皆據說文正之許君易稱孟氏孟爲今文之易與費氏不同

要其擬音證字特援以發明倉籀古文之誼非謂孟氏之書盡古文也

釋文所引古文乃正始之古文故與馬鄭不合馬國翰輯費氏章句抄撮晁氏之書妄以爲費氏古文憑臆寡據殊爲謬戾七經孟子考文所引古本亦多譌誤不足爲據故不用之

雅雨堂所刻唐李鼎祚周易集解多與舊本不同乃元和惠氏所私改孫氏堂馬氏國翰所輯漢魏諸易皆沿惠氏之誤故今所採集解以舊本爲據而惠氏所改明以著之

余爲此書專辨今文古文之異同大義微言以俟君子
孔子曰必也正名乎蓋名正則言順象數義理神而明
之存乎其人抑亦吾先師費氏之志云爾
是書始於戊寅訖於己丑歲逾十稔稿凡三易折衷古
賢取益今哲經史子集傳注箋疏靡不博稽審錄辨析
異同探姬孔之淵源存什一於千百生今之世反古之
道知我罪我敢須來世
光緒十五年十一月十日新城王樹枏自識於眉州之
遠景樓

# 費氏古易訂文卷一

新城王樹枏

## 周易上

釋文云易經名也虞翻注參同契云字從日下月止從日勿案說文云祕書說日月爲易象侌易也一曰从勿祕書者即參同契之類乾坤鑿度易日月相衡注云日往月來古日下有月爲易葢緯書有此一體不盡合古籀者故董彥遠云定經之名誤合日月爲易也又今周易上下篇俱有經字案左傳集解後序云汲郡汲縣有發舊冢者大得古書周易上下篇與

今正同據此知古本周易祇分上下篇未嘗稱爲經正義引子夏傳云雖分上下二篇未有經字經字是後人所加不知起自誰始案子夏傳據七畧知爲前漢韓嬰所作臧氏庸謂韓嬰字子夏辨之甚詳韓嬰作傳時尚未有經之名後施孟梁邱之學興其本皆稱爲經漢志易經十二篇施孟梁邱三家是也蓋自諸儒爲易作注始尊易爲經而尊孔子之注爲傳班固所謂孔子晚而好易讀之韋編三絕而爲之傳也然則易之稱經蓋起於漢初丁服之徒歟乾鑿度引孔子之言曰上經象陽下經法陰蓋作緯者當時已

稱爲經故述孔子之言亦遷就當時之稱非孔子時卽有經字也

䷀乾

今本畫下有乾下乾上四字案此係易家所加非孔子之舊葢古時之畫卽今時之字不待言也注家於每卦下增此四字以曉學者漢時相承遂以爲經所舊有故坤靈圖直引經曰震下乾上无妄經曰乾下艮上大畜費氏古本不知有[illegible]但據王弼之書相沿不去知其所由來遠矣朱子據呂氏本於六畫下仍存乾下乾上等字吳仁傑古周易乃於畫下省去乾

字而各爻承各畫之下並省去初九九二等文殊爲
臆造今從南宋石經刪此四字

元亯秝貞

馬謂卦辭文王爻辭周公鄭謂卦辭爻辭並是文王
案孔氏正義云一說據繫辭易之興也其於中古乎
作易者其有憂患乎又易之興也其當殷之末世周
之盛德邪當文王與紂之事邪定爲文王所作此一
說當是費氏舊義蓋費以十篇之言解經故據繫辭
云爾也鄭依此立說又與緯書相合故其徒皆從之
馬雖治費氏易而好生異說荀悅譏之當卽此類楊

子雲深於易者亦謂宓犧綿絡天地經以八卦文王附六爻孔子錯其象彖其辭不以爻辭爲周公所作與鄭說正同

初九潛龍勿用九二見龍在田利見大人九三君子終日乾乾夕惕若厲

說文骨部䯛云讀若易曰夕惕若厲夕部夤下引易曰夕惕若夤案郭忠恕汗簡夏竦古文四聲韻皆云䯛出古周易今本易無䯛字說文䯛但云讀若惕非謂易爲䯛也鄭荀治古文易釋文引鄭云惕懼也荀注文言曰立誠謂夕惕若厲可知費氏本作惕不作

鶻據易緯乾元序制記漢書王莽傳淮南人間訓班
固爲第五倫薦謝夷吾表張衡思元賦皆作夕惕若
厲是漢學相傳如此近有妄儒乃欲據汗簡改惕爲
鶻此大謬也其夤下引作夕惕若夤者王氏引之云
此證夤字從夕之義非以其有夤字而引之也如祝
字解曰或曰從兑省易曰兑爲口爲巫此是證祝从
兑省之義而所引無祝字壻字解曰詩曰女也不爽
士貳其行士者夫也此證壻從士之義而所引無壻
字庸字解曰易曰先庚三日此證庸从庚之義而所
引無庚字相字解曰易曰地可觀者莫可觀乎木此

證相從木之義而所引無相字皆其例也又釋文每列說文引經異字此處出若厲二字而不言說文厲作夤則唐初說文本猶作夕惕若厲今案說文引經有五例有引本字以證本字者如脢下引易咸其脢輹下引易輿脫輹之類是也有所據本異者如𣂔下引易𣂔升大吉𡍮下引易噬乾𡍮之類是也有義不同而擬其音者如此𩪋讀若惕𡕻讀若拯之類是也有音義俱同則改經字以明本字音義者如吝下引易以往吝而遴下又引作遴的下引易爲的顙而馰下又引作馰之類是也有引經以證某字之從某而

明其義者如王氏所說之類是也此文本作夕惕若
厲觀鶡下許氏所引可知惠氏士奇易說改厲爲夤
惠氏棟周易述於厲上增夤字其本義辨證遂謂夤
與乾韻殊爲乖盭
无咎
淮南子人間訓引作無咎無今文
九四或躍扗淵
七經孟子考文引古本或作惑象文言同阮氏元云
古本多不足據
无咎九𠄡飛龍扗天利見大人

史記武帝紀封禪書作乾稱蜚龍馬遷從楊何受易當是何本作蜚賈子容經篇亦云龍之神也其惟蜚龍乎蜚飛同字鄭荀本皆作飛史記蔡澤傳仍作飛龍在天

上九亢龍有悔

說文心部忼下引作忼龍有悔案忼爲亢之假字汗簡云古周易如此唐元度九經字樣同許所據蓋孟氏易與費本不同淮南子繆稱訓賈子容經篇史記蔡澤傳俱作亢龍悔讀爲𠧪說文悔恨也𠧪易卦之上體也商書曰貞曰𠧪

用九見羣龍

說苑引易曰見羣龍程傳從之以見羣龍爲句案劉向會以中古文校費氏易當卽費讀如此觀後漢郎顗傳及班固傳注所引鄭注祇釋見羣龍三字可知鄭讀見羣龍爲句從古文說也

无眚吉

說文无奇字𣞤也案古文奇字者乃當時不常用之字人所罕見故謂之奇蓋亦古文之一體今六經惟易用此字眚今本作首說文𦣻頭也眚古文𦣻也首爲眚之隸變

䷁巛

釋文云巛本又作坤坤今字也案陸氏據王弼舊本如此自孔氏注疏本始改爲坤後人遂並釋文亦改作坤而云巛今字謬戾甚矣王氏引之謂說文坤字下無重文作巛者古坤川聲近其作巛者乃是借用川字而盧氏文弨則謂巛六畫中不連連者是川字今案玉篇川部巛字下注曰注瀆曰川也古爲坤字廣韻二十一魂坤下列巛注曰古文葢古文以巛爲坤後則以巛爲川矣玉篇上接字林廣韻本之唐韻二書胚胎說文非臆造者說文順馴紃軕巡等字皆

從古之坤聲非川聲據此則說文必有巛字左傳昭
二十九年巛之剝大戴禮保傳篇易之乾巛漢魏諸
碑有巛巛川諸字則古易必作巛不作坤鄭爲費學
而天作箋曰巛以簡能則鄭本作巛於此尚可證許
書坤下奪重文巛而順馴等字遂概以爲川聲矣
元亯秎牝馬㞢貞君子有攸往先迷後得㞢秎卥南得
朋東北喪朋
案此當以先迷後得主爲句利字屬下讀文言傳明
言後得主而有常則聖人讀主字絕句無疑費氏以
十篇解經不自爲章句當如此讀參同契曰先迷失

軌後爲主君通典引魏博士秦靜議禘禮引易利西南得朋東北喪朋葢古讀皆如此利西南得朋東北喪朋與蹇利西南解利西南句法正同馬輯荀氏易以利字下屬得之

安貞吉初六履霜堅冰至

說文仌凍也象冰之形冰水堅也从水仌案古書通假冰爲仌

六二直方大不習无不利

案元熊朋來經說載鄭氏古易云坤爻辭履霜直方含章括囊黃裳元黃協韻故象傳文言皆不釋大疑

大字衍今案文言傳作直方大不習无不利荀注亦云大者陽也荀與鄭同爲費氏易謂古文無大字非也竊疑鄭以直方爲句以大字下屬大不習无不利者謂其大不待習而自无不利也象傳地道光文言傳德不孤皆釋大字之義光廣同字

巾三含章可貞或從王事无成有終巾四㨯囊无咎无譽

說文㨯絜也㨯卽今之括字廣雅云㨯結也鄭注大學云絜猶結也說文髻絜髮也髻髮卽檀弓之括髮括者隸變之字荀子非相篇云括囊无咎无譽腐儒

之謂也

六五黃裳元吉上六龍戰亐野其血玄黃用六利永貞

䷂屯元亯利貞勿用有攸往利建矦初九槃桓

今本作磐釋文云磐本亦作盤又作槃馬云槃桓旋也爾雅般還也釋文引易作般桓晁氏云古文作般今案說文槃承槃也古者槃下有舟周禮司尊彝注云舟尊下臺若今時承槃然則承槃者舟臺之屬其字從般象舟之旋是槃亦般義震爲主器故取槃象槃者盤之籒文郭究碑作槃桓與馬同字又作洀桓管子小問篇君乘駮馬而洀桓尹知章云洀古盤字

張表碑又作畔桓利貞桓者亘之假字說文亘求回也

𥝢居貞

居者尻之假字凡經文假借字皆仍其舊

𥝢建矦六二屯如亶如

今本作邅釋文云邅馬云難行不進之皃案說文無邅字而走部云𧾭趁也趁𧾭也馬部云駗馬重難行也驙駗驙也易曰乘馬驙如趁𧾭與駗驙同義俱難行之皃古時走部與辵部之文多相通用故後世相承作邅臧氏庸拜經日記謂常見葉林宗影宋鈔釋文作亶呂氏音訓亦云亶今本作邅陸氏曰張連反

亦作邅與葉鈔正合似伯恭所見釋文正書亶字而
有注云亦作邅據此則陸氏所據弼易本作亶弼用
鄭本鄭受之馬葢皆如是作說文引乘馬驙如者係
後人傳寫譌誤觀晁氏所據說文知宋時本尚作屯
如驙如張揖廣雅亦云屯驙難也與許所引同許所
引爲孟氏易與馬本文異義同桂氏馥說文義證直
謂馬作驙殊爲失考漢書敘傳上幽通賦云紛屯亶
與蹇連兮何艱多而智寡師古曰易屯卦六二爻辭
曰屯如亶如此漢唐以來作亶之證也亶爲邅之省
文陳氏壽祺云集韻十八諄驙屯同音晁氏亦云驙

音屯或疑屯如古亦作駗如然據廣雅之屯驙則屯
當如字
乘馬般如
今本作班釋文云班鄭本作般臧氏琳云正義引馬
季長云班班旋不進也言二欲乘馬往適於五正道
未通故班旋不進案說文珏部班分瑞玉从珏从刀
舟部般辟也象舟之旋从舟从殳殳所以旋也然則
班旋字本作般馬當與鄭同疏葢因今文易比而同
之耳古般班通用書序班宗彝釋文班又作般左傳
成十三年鄭公子般釋文般本亦作班漢書禮樂志

般裔裔師古曰般讀與班同惠氏士奇據誤本說文以班爲驢大謬晁氏古易謂般古文作班此亦傳寫誤倒當是班古文作般也

匪寇昏冓

今本作婚媾案鄭目錄云士娶妻之禮以昏爲期因以名焉葢先有昏字而後加女以別於昏其實古文祇作昏也王應麟輯鄭易作昏冓釋文云馬本作冓本或作搆者非晁氏云冓古文說文引作匪冦婚媾葢從孟喜今易

女子貞不字十年乃字屯三郎鹿无虞

釋文云鹿王肅作麓云山足晁氏曰鹿古文案虞翻
亦謂鹿爲山足而不作麓麓鹿古通字詩瞻彼旱麓
周語作旱鹿應劭曰鹿林之大者故書曰大麓今鉅
鹿縣取名焉左傳山林之木衡鹿守之杜注云衡鹿
官名晉語史黯曰主將適螻而麓不聞韋注云麓主
君苑囿者是鹿麓二字古多通借王肅訓鹿爲麓而
因改作麓據虞氏之說則古本祇作鹿也无注疏本
或作無淮南子繆稱訓亦引作無今文也

帷人亏林中君子機不如舍

今本作幾釋文云鄭作機機弩牙也緇衣引逸書太甲

曰若虞機張往省括于度則釋鄭彼注云虞人之射禽弩已張從機間視括與所射參相得乃後釋釋古文作舍詩駟鐵曰舍拔則獲惠氏士奇云張機而待不能獲禽君子舍之舍拔而已言无所獲也卦震爲動坎爲弓故取機象幾與機古亦通用書皐陶謨一日二日萬幾疏作機繫辭傳聖人之所以極深而研幾也釋文云本或作機是也淮南子亦從今文作幾

往吝巾四乘馬般如求昏冓往吉无不利九五屯其膏小貞吉大貞凶上巾乘馬般如泣血漣如

說文心部漣泣下也引易泣血漣如案諸本皆作漣

詩𠴕泣涕漣漣楚辭泣下漣漣皆作漣不作㦁今說文以漣爲瀾之重文惠氏楝云古篆立心與水相近故誤爲漣案費爲古文與三家異當是孟氏誤水旁爲立心許據以採入說文而專以漣爲瀾之或體涕泣字皆从水則漣字从水不誤釋文引說文云漣泣下也據此則陸所見說文作漣不作㦁豈今本有誤歟淮南子引作連省文

䷃蒙亨匪我求童蒙

釋文云童字書作僮案說文童男有辠曰奴奴曰童从辛重省聲僮未冠也从人童聲案古之辠人於[illegible]

者則以爲奴髡則纚笄皆無所施故不冠謂之童童禿也與牛羊無角曰童牛曰童羖山無艸木曰童山皆一義未冠爲僮卽取童義古有專訓而經典中多假童爲僮釋文言字書作僮而不言諸家則古易皆作童可知童爲僮之省凡古文多从省

童蒙來求我

今本作童蒙求我攷文引古本蒙下有來字惠氏棟王氏念孫據呂氏春秋勸學篇高誘注引易童蒙來求我蔡邕處士圈叔則碑童蒙來求彪之用文唐釋慧苑華嚴經音義下引易童蒙來求我以證經文本

有來字案王弼注云童蒙之來求我欲決所惑也據此則王弼本原有來字今注疏本妄爲刪削遂與注文不合王用費本古易盍如此

初筮告再三瀆瀆則不告利貞

說文叕部引易作再三黷黷握持垢也案公羊疏引鄭注作瀆崔憬云瀆古黷字論語雍也篇釋文云瀆今作黷盍古文易俱作瀆今文作黷禮表記引易亦作瀆洪範五行傳云若煩數溷瀆或不精嚴神不告也

初六發蒙利用刑人用說桎梏以往吝

說文吝下引易曰以往吝遴下引易曰以往遴案全
經皆作吝不應此獨作遴引作遴者擬其音也遴與
吝俱良刄切漢書王莽傳性實遴嗇地理志潁川民
貪遴爭訟遴並與吝同

九二苞蒙吉

今本作包釋文作苞唐石經同嚴氏可均石經校文
云毛居正六經正誤以苞爲誤是宋本原作苞後人
依毛說改作包非是阮氏元云古經典包容字多从
艸案晁氏云包京房鄭元陸績一行皆作彪而釋文
引鄭則云苞當作彪蓋鄭所據古文易本作苞而從

今文家讀爲虨耳王氏經義述聞所引漢胡廣徵士
法高卿碑虨童蒙作世師蔡邕處士圂叔則碑童蒙
來求虨之用文司徒袁公夫人馬氏靈表俾我小子
蒙昧以虨虨皆用今文易晁氏直謂鄭作虨誤矣
納婦吉子邑家六三勿用取女
釋文云取本又作娶取者娶之省字凡古文娶俱作
取
見金夫不有躳无攸利六四困蒙吝
考文引古本吝作咎象同山井鼎云非
六五童蒙吉上九繫蒙

今本作擊釋文云馬鄭作繫晁氏云荀爽一行俱作

繫

不利爲冠利御禦冠

考文云古本禦上有用字案蔡邕明堂論引作利用

禦冠熹平中蔡邕奉詔書石經易用三家本蓋今文

也晁氏云釋文禦本又作衛案陸氏乃釋王注爲之扞禦之禦非謂經文禦本又作衛也

䷄需

釋文需音須字從雨重而者非盧氏攷證云舊本雨

作雨譌蓋字從雨先明字之正體也重而者非乃言

俗作之誤案說文需須也遇雨不進止須也从雨而

聲易曰雲上于天需徐鉉云李陽冰據易雲上于天
云當从天然諸本皆从而無从天者不知而是諧聲
雲上于天乃卦之取象非字義也釋文云需鄭讀爲
秀謂陽氣秀而不直前者畏上坎也孔氏廣森云古
語遲延有所俟曰宿留封禪書宿留海上漢五行志
其宿留告曉人具備深切何氏春秋解詁宿留城之
趙氏孟子章句宿留以答之諸家並上音秀下音溜
東觀漢記和帝詔且復宿留後漢書作須留需與須
同故讀爲秀也今案釋名鬚秀也鬚之爲秀猶需之
爲秀古葢同音字歸藏易以需爲溽太元以耎偄二

字準需可證鄭注秀而不直前之義
有孚光亨貞吉
釋文云馬鄭總爲一句孚又作尃晁氏云尃古文案
訟有孚坎有孚損有孚皆與需有孚同一例不應此
獨作尃蓋字音尃而誤以爲尃耳
利涉大川初九需于郊利用恆无咎九二需于沚
今本作沙釋文云沙鄭作沚案沚爲沚字之誤說文
云譚長說沙或从沚沚與沚形似鄭蓋作沚而陸氏
誤以爲沚耳
小有言終吉九三需于泥致寇至

今本作冠釋文云冠鄭王肅本作戎考文引古本亦作戎案象傳自我致冠以冠字釋戎諸家遂據傳文改經爲冠猶解傳自我致戎以戎字釋冠而本又或據經文改傳爲冠也

六四需亏血出自穴九五需亏酒食貞吉上六入亏穴有不速之客三人來敬之終吉

䷅訟有孚窒惕中吉

今本作窒釋文云窒馬作咥云讀爲躓猶止也鄭云咥覺悔皃案陸氏謂有孚窒一句惕中吉一句余謂費易作咥當以咥惕連文

緣凶利見大人不利涉大川利中不永所事小有言終
吉九二不克訟歸而逋其邑人三百戶无眚中三食舊
德貞厲緣吉或從王事无成九四不克訟復即命渝安
貞吉

釋文云渝變也馬同鄭云然也案鄭訓爲然葢讀渝
爲俞訟以能變爲義當從馬說

九五訟元吉上九或錫之鞶帶

釋文鞶王肅作槃帶亦作帶案說文鞶大帶也引易
或錫之鞶帶凡命服先束革帶乃加大帶中交離爲
革乾爲衣爲圜故象鞶帶荀爽云鞶帶宗廟之服三

應于上上爲宗廟故曰鞶帶也許引孟易作鞶帶與

費同

終𦩘三拕㞢

今本作褫釋文云褫本又作褫鄭本作拕案說文褫奪衣也讀若池池拕同音字晁氏云如拕紳之拕乃得象意惠氏棟云淮南人間訓秦牛缺遇盜拕其衣被高誘注云拕奪也晁說失之今案宋項安世周易玩辭引鄭注三拕三加之也是鄭注不以拕爲奪臧氏琳云說文拕曳也論語鄉黨加朝服拖紳拖即拕之俗馬融注易以鞶帶爲大帶包咸注論語以紳爲

大帶是於大帶宜言拕而非褫奪之義楊愼經說亦
謂上九上剛之極本以訟而得鞶帶不勝其矜而終
朝三拕以誇於人故象曰以訟受服今以奪解之可
乎

䷆師貞丈人吉无咎

崔憬以子夏傳作大人李鼎祚亦以王氏曲解大人
爲丈人爲非案春官天府季冬陳玉以貞來歲之媺
惡鄭司農云貞問也易曰師貞丈人吉疏引鄭注云
丈之言長能御衆有正人之德以法度爲人之長吉
而无咎謂天子諸侯主軍者先鄭後鄭皆爲費氏易

費盖作丈不作大王從古本特不得訓爲嚴莊之稱
耳大戴禮本命云丈者長也言長萬物也互象取震
爲長子丈長同故云丈之言長象之丈人卽爻之長
子太元以衆準師其次三云軍或纍車丈人摧孥盖
亦本之易陸氏以貞丈人絕句從康成讀先鄭亦以
貞丈人連文近世多以師貞絕句非古也
初六師出㠯律否臧凶
釋文云否馬鄭王肅方有反晁氏云劉荀陸一行作
不今案不否同字宣十二年左傳執事順成爲臧逆
爲否杜預注云彘子逆命不順成故應不臧之凶盖

古易皆訓否爲不王弼讀爲否惡之否與鄭異非是

九二扗師中吉无咎王三錫命

今本作錫釋文云錫徐音賜鄭本作賜孫氏堂云書

序平王錫晉文侯秬鬯圭瓚馬融本錫作賜禹貢錫

土姓史記作賜土姓左氏春秋經王使毛伯衛來錫

公命唐石經作來賜古本錫字多作賜

六三師或轝尸凶六四師左次

左爲𠂇之假字說文左右字作𠂇又

无咎六五田有禽

釋文云禽徐本作擒臧氏琳云荀爽謂二五師師禽五

知古文易本作擒王輔嗣云犯而後應往必得直故
田有禽義與荀同徐仙民易音據王弼而其本作擒
則王本作擒也盧氏文弨云旣假言田獵則假言禽
獸亦可古擒亦並作禽今案說文無擒字擒爲捦之
俗體象下傳舊并无禽崔憬云禽古擒字禽猶獲也
故展獲字禽不從手古經傳多如是作荀王本作禽
而訓爲擒未嘗改字葢古本如此

𥝢執言

郭京舉正謂王弼作利執之之字行書向下引腳稍
類行書言字朱氏亦棟云執言乃聲罪致討之謂郭

說非今案荀爽注云二帥師禽五五利度二之命執
行其言故无咎也據此則荀本作言不作之今王本
亦不作之字
无咎長子帥師弟子輿尸貞凶上六大君有命開國承
家小人勿用
䷇比吉原筮元永貞无咎不寧方來後夫凶初六有
孚比㞢无咎有孚盈缶終來有它吉
釋文云它亦作他據此則王本作它與荀爽同子夏
虞翻俱作它後漢書魯恭傳亦引作它
六二比㞢自內貞吉六三比㞢匪人

釋文云王肅本作匪人凶
卬四外比㞢貞吉九五顯比王用三敺
今本作驅釋文云驅鄭作敺說文驅馬馳也古文作
敺从攴惠氏棟云漢書皆以敺爲驅
失前禽
桓四年左傳正義引鄭注云失前禽者謂禽在前來
者不逆而射之傍去又不射唯背走者順而射之不
中則已是皆所以失之用兵之法亦如之據此則鄭
讀失爲佚廣雅云王者以四時畋以奉宗廟因簡戎
事刈草爲防敺而射之不題禽不詭遇不捷草越防

不追說苑云不抵禽不詭遇詩傳云戰不出頃田
出防不逐奔走古之道也皆失前禽之義
邑人不戒吉
石經初刻作戒後改誡案虞翻李鼎祚本俱作戒此
當與泰六四不戒以孚之戒同
上六比之无首凶
䷈小畜
釋文云畜本又作蓄卦內皆同案古本皆作畜
亨密雲不雨自我西郊初九復自道何其咎吉九二牽
復吉九三輿說輹

今本作輻釋文云輻本亦作輹音服馬云車下縛也鄭云伏菟晁氏云說文作轐云車軸縛也易輿脫輹輻字云輪轑也不以易爲證今謂古本皆作輹無作輻者李氏愔云伏兔上承車箱下扼車軸車駕則縛之不駕則說若輻則在輞中取其堅緻輪不敗壞則不相離非可說之物且以古音求之輹與目韻若作輻則不諧矣案鄭以輹爲伏菟說文則謂伏兔爲轐鄭司農亦以轐爲伏兔然考釋名釋車糸云屐似人屐也又曰伏兔在軸上似之也又曰轐轐伏也伏於軸上也而易釋文引釋名則轐皆作輹僖十五年左

傳正義引子夏易傳云輹車下伏兔也今人謂之車
屐形如伏兔以繩縛於軸因名縛也據此則輹轐蓋
一物故鄭以輹爲伏兔桂氏馥乃直謂鄭易作轐亦
失考訂虞易輹作腹取坤象此易家之異說說文引
說輹作脫輹脫俗字左傳正引作說輹

夫妻反目六四有孚血去愓出无咎

釋文云血如字馬云當作恤憂也案大戴記少間篇
血者猶血血盧辨注云血憂色也太元從有女承其血
匡范望注云血憂也皆讀血爲恤晁氏云血古文恤
馬意盖以易原有恤字與血不同故欲破字

九五有孚攣如

釋文云攣馬云連也子夏傳作戀思也惠氏棟云依字當作攣古戀字案隸釋漢唐公防碑及景君碑皆以攣爲戀案攣與戀通前漢外戚李夫人傳攣攣顧念我注云攣讀曰戀 此當從馬讀力專反說文攣係也凡拘牽連繫者皆 曰攣葢取外卦巽繩之象

富㠯其鄰上九既雨既處尚德載婦貞厲

晁氏云子夏傳作得京虞同惠刻集解亦改作得德得古字通史記項 羽本紀吾爲若德漢書作公得是也考文引古本載 上有積字案王弼注云體巽處上

剛不敢犯尚德者也爲陰之長能畜剛健德積載者也虞翻注云坎雲復天坎爲車積載在坎上故上得積載據此知王虞本皆有積字仲翔輔嗣好與鄭異同今所不從

月既望君子征凶

今本作幾釋文云幾徐音祈又音機子夏傳作近晁氏云京劉一行俱作近何氏楷謂孟荀一行本作既今案一行作近不作既歸妹六五中孚六四荀俱作月既望此亦當如之既與幾同義爾雅既盡也莊子齊物論篇適得而幾矣郭注云幾盡也詩嵩高往近

王肅鄭箋云近聲如彼記之子之記毛傳云近已也
三字古蓋同聲相借孟喜以此爲十六日荀與今文
說同望爲朢之假字

三三履虎尾不噬人亨
今本作咥文選西征賦履虎尾而不噬李善注云周易
不咥人亨鄭元注本爲噬噬齧也音誓安仁蓋用鄭易

利貞
今本脫此二字集解引荀注云二五无應故无元以
乾履兌故有通六三履二非和正故云利貞也是荀
本有此二字荀從費易史謂費易較三家經文多无

咎悔亡等字當卽此類惠氏棟謂彖辭剛中正以當乃釋利貞之義孔穎達謂此句贊明履卦德義之美於經无所釋蓋未攷漢易集解舊本無利貞二字惠刻據增臧氏庸謂荀注故云利貞云爲无字之譌蓋强與惠爲難者

初九素履往无咎九二履道坦坦幽人貞吉六三眇能視跛能履

惠刻集解作眇而視跛而履案高誘注呂氏春秋淮南子皆以而爲能禮運正義謂說苑能字皆爲而二字古葢通用往往互文以見義如墨子天志篇少而

示之黑謂黑多示之黑謂白少能嘗之甘謂甘多嘗之甘謂苦韓詩外傳貴而下賤則衆弗惡也富能分貧則窮士弗惡也而能互用諸書如此類者甚多今易作而者惟虞氏本如是惠氏謂今本作能非也釋文云跛依字作尥說文跛行不正也尥蹇也案跛爲尥之假字

履虎尾咥人凶

此咥鄭本亦當爲噬

武人爲亐大君九四履虎尾虩虩終吉

今本皆作愬愬釋文云馬本作虩虩音許逆反恐懼

也說文同案說文虩下引易履虎尾虩虩恐懼許以
虩虩爲恐懼與馬正同呂氏春秋引易愬愬高誘注
云讀如虩蓋虩愬同物故震之虩虩荀本亦作愬愬
晁氏云愬虩虩同音色
九五夬履貞厲上九視履考詳其旋元吉
今本作祥釋文云祥本亦作詳晁氏云荀作詳審也
鄭作詳云履道之終考正詳備惠氏棟云古祥字皆
作詳石經尚書及左傳公羊猶然上九居卦之上下
視初之履何以无咎二之履何以貞吉三之履何以
凶四之履何以吉五之履何以厲能考正詳備以與

爲周旋則大吉也說文旋周旋旌旗之指麾也从㫃
从疋疋足也徐鍇云人足隨旌旗以周旋也乾爲圜
故有旋象居上臨下故有指麾之象
䷊泰小往大來吉亯初九拔茅茹㠯其𢑱
今本作彙彙爲𢑱之隸變釋文云彙音胃類也傅氏
注云彙古偉字美也古文作蒷董作蕢出也鄭云勤
也呂氏音訓引釋文則云董遇作蕢出也鄭作蕢勤
也與今本不同今案漢書劉向傳師古注引鄭氏云
彙類也茹牽引也茅喻君有絜白之德臣下引其類
而仕之據此可知鄭本作彙類也與荀王同釋文

[illegible]爲勤而音訓又以鄭易作𠞤而訓爲勤勤皆誤彙

[illegible]壼之假字爾雅釋文彙本作㚔二字蓋同音相借

六書故正引易作拔茅茹以其𡩡又案鄭以拔茅爲

句茹以其彙爲句與象傳拔茅征吉讀法正合茹以

其彙謂羣引以其類也

征吉

攷文引古本征作往

九二苞巟

今本作包唐石經增改作苞釋文云苞本又作包據音

訓引所荒本亦作巟說文水廣也又大也鄭讀爲康云

虛也晁氏云虞云巟大川也說文作巟易包巟用馮河字書又作㠩鄭讀爲康大也此大字誤案釋文暨晁氏所引鄭讀皆承說文巟字而下則鄭易本作巟晁氏謂象數無田穢之荒今人猶有水巟之語其失自王弼始象辭巟河是一事據此知荒之作始于王弼漢易本皆爲巟也鄭箋詩召旻我居圉卒荒云荒虛也若古易本作荒則鄭可直注云荒虛也無待讀爲康矣巟本訓水廣而鄭訓爲虛故以康字明之康荒古字通穀梁傳四穀不升謂之康廣雅作歉韓詩外傳作荒太平御覽引淮南天文訓十二歲一荒高誘本

荒作康集韻⿰阝康槺荒並云虛也或謂太元大次五包荒以中克卽用易泰九二之辭不知元之包荒以爲包有九夷與此不同卽本于易亦孟氏之學與費易殊也

用馮河

馮爲淜之假字說文淜無舟渡河也

不鍜鑽朋亾得尚亐中行九三无平不陂无𢓸不復艱貞无咎勿恤其孚亐食有福六四篇篇不富㠯其鄰

今本作翩翩釋文出篇篇云子夏傳作翩翩向本同云輕舉皃古文作偏偏案陸氏謂子夏作翩翩則王

弼本不作翩翩明矣釋文所據葢王弼眞本音訓亦云篇篇今作翩翩古文作偏偏者葢正始本如是非費氏之舊也

不戒㠯孚六五帝乙歸妹㠯祉元吉上六城復于隍

釋文云隍城塹也子夏作堭姚作湟案詩韓奕正義引鄭注云隍壑也說文隍城池也有水曰池無水曰湟引易曰城復于隍與鄭義合晁氏云古文作皇案凡晁氏所謂古文不盡足據

勿用師自邑告命貞吝

䷋否之匪人

本義云或疑之匪人三字衍文案此與履虎尾同人于野艮其背同一例皆卦名與卦辭相連成文否之匪人者謂否之非人也否之非其人故不利君子貞否之匪人不利君子貞故大往小來文義正相承

不利君子貞大往小來初六拔茅茹㠯其彙貞吉亯

集解引荀云彙者類也合體同包謂坤三爻同類相連欲在下也

六二苞承

今本作包唐石經增改作苞釋文云苞本又作包下苞羞同朱升易注以承作脀牛牲也謂苞苴餽遺之

事以羞爲膳羞謂腥胾膾炙醢醬之屬毛奇齡仲氏易云左傳陳厲公生敬仲筮之遇觀之比有庭實旅百奉之以玉帛諸語以卦中互艮爲門庭互巽爲果蓏乾爲金玉坤爲布帛俱有庭實之象與朱氏苞苴餽享諸說甚合今案左傳取義不必爻中皆有此文但卽卦象斷之如此類是也朱說殊妄

小人吉大人否亨

荀注謂天地否隔故大人否遯九四君子吉小人否鄭注亦謂否塞也案二否字與卦名異宜讀如說文否不之否

巾三苞羞九四有命无咎𠷎離祉

今本作疇釋文云鄭作古𠷎字案說文𠷎誰也从口𢑴又聲𢑴古文疇段氏玉裁云𠷎从口𢑴聲不當兼从又又非聲也老部𦒘酉部醻巾部幬皆从𢑴聲今觀古易正以𠷎爲古文疇从又者後人所加也

九㐅休否大人吉其亾其亾繫于苞桑

唐石經初刻作包後增改作苞攷文引古本無于字非文選六代論云易曰其亡其亡繫于苞桑周德其可謂當之矣李善注引鄭云苞植也否世之人不知聖人有命咸云其將亡矣其將亡矣而聖乃自繫于

植桑不亡也案鄭以苞爲植是古本原作苞不作包
集解引鄭注改作包非是梁武帝答皇太子請御講
勑引易亦作苞桑

上九傾否先否後喜

三三同人亏野亯秎𣴎大川

淮南子繆稱訓引作同人于野利涉大川無亨字

秎君子貞初九同人亏門无咎六二同人亏宗吝九三
伏戎亏莽升其高陵三歲不興九四椉其墉

今本作墉釋文云墉鄭作庸孫氏堂云庸古墉字詩
大雅以作爾庸毛傳云庸城也禮王制附于諸侯曰

附庸鄭注云附庸小城也明刻集解作墉惠改庸
弗亯攻吉九五同人先號咷而後关
今本作笑惠氏棟云笑古文作关說文無笑字李陽冰刊定說文始从竹从夭案古本漢書薛宣傳壺矢相樂今本云壹关相樂晉灼謂書篆形壹关字象壺矢因曰壺矢然則关爲古笑字審矣李陽冰多臆說吾所不取丁氏溶云关是本字古或从口作咲見法言及字原所載王政碑集韻云笑古作咲
大師亯相遇上九同人于郊无悔
䷍大有元亨初九无交害匪咎艱則无咎九二大轝

已載
令本作車釋文云車蜀才作輿晁氏云子夏作輿案
賁初舍輿而徒今本亦作車釋文云鄭張本作輿後
漢時車始有居音據此則鄭易此文亦當作輿惠刻
集解本作轝
有攸往无咎九三公用亯于天子
今本作亨王弼讀爲亨還之亨釋文云眾家並香兩
反案僖二十五年左氏傳引此作享有戰克王饗之
語是古皆讀爲亯王注非也說文亯獻也从高省曰
象物形許兩切段氏玉裁云亯象薦孰因以爲飪物

之稱故又讀普庚切亯之義訓薦神誠意可通於神
故又讀許庚切古祇作亯享烹亨皆今字篆文作亯
小人弗克九四匪其彭无咎
釋文云彭子夏作旁虞作尪云作彭作旁聲字之誤
案諸家易俱不作尪此仲翔之異說故與先儒爲難
者古旁彭通說文鬃或从祊公羊成十八年傳晉侯
使士彭來乞師左傳作士魴釋名云彭旁也蓋音義
皆同
六五厥孚交如威如吉上九自天右之吉无不利
今本作祐案九家易作右說文右助也據今本无妄

象傳天命不祐馬作右則此文馬亦當作右

䷎謙

釋文云謙子夏作嗛惠氏棟云古文多假借故謙字皆作嗛藝文志易之嗛嗛封禪文嗛讓而弗發師古云嗛古謙字古文尚書謙作嗛見汗簡史記樂書及馮煥殘碑皆以嗛爲謙說文嗛與謙兩訓葢漢以後始有謙字案鄭荀諸家皆作謙謙嗛皆歉之假字象傳盈與謙對文可以見義襍卦傳云謙輕卽其詁也太元以少擬謙葢古訓如此歸藏易作兼

言君子有終

說苑敬愼篇引終下有吉字

初六謙謙君子用涉大川吉六二鳴謙貞吉九三勞謙

君子有終吉

後漢書荀爽傳云往者孝文勞謙行過乎儉

六四无不利撝謙

釋文云撝鄭讀爲宣晁氏云京作揮案揮撝通字撝

宣同義

六五不富以其鄰利用侵伐无不利

今本作侵侵爲侵之隸變釋文云侵王廙作寑郭京

謂經象侵字王弼作征案王弼注云以謙順而侵伐

所伐皆驕逆也是弼本作侵不作征

上巾鳴謙利用行師征國

今本作征邑國釋文出征國云本或作征邑國者非

晁氏云今本有邑字案邑字當涉象傳而衍九家易

象傳有邑字

䷏豫利建侯行師初巾鳴豫凶巾二扴亏石

今本作介釋文云介古文作砎鄭古八反云磨砎也

馬作扴云觸小石聲案晉書孔坦傳云砎石之易悟

桓溫傳云砎如石焉文皆從石作砎葢正始之古文

如是說文無砎字手部扴刮也砎葢爲扴之異文鄭

云磨厥與觸石同誼盎古文作扴而鄭讀爲戛也白虎通引作介如石

不終日貞吉卬三盱豫

釋文云盱子夏作紆京作汙姚作盱云日始出晁氏云陸績亦作紆說文盱張目也張目之義引伸之則爲誇爲大誇大同義見漢書外戚傳孟康注故鄭云盱誇也紆汙盱皆音借字

悔遲有悔

朱子語類以此爲一句攷文引古本作有悔遲有悔非遲唐石經作遟說文云遟籀文遲

九四由豫

今本說文無由字弓部甹下云木生條也从弓由聲商書曰若顚木之有甹枿古文言由枿據此則甹下當有古文由字今脫去耳苗迪㣚䌷等字俱从由聲

釋文引鄭云由用也馬作猶云猶豫疑也猶與由古字通用漢易俱作由馬本葢讀爲猶耳荀悅謂馬生異說卽此類

大有得勿疑朋盍簪

釋文云簪鄭云速也古文作貸京作撍馬作臧荀作宗虞作戠戠叢合也蜀才本依京義從鄭今案虞翻

云戠舊讀作揝作宗據此知京荀盇未嘗易字而特讀爲揝讀爲宗耳古易本作簪京讀作揝馬讀作臧荀讀作宗虞讀作戠聲義之通互相假借各家弟子篤守師說遂改本注以從其讀爲之字文義之歧大率以此晁氏云揝簪同音一字陸氏希聲云揝今捷字案說文無揝字而簪爲兂之俗體士喪禮簪衣于裳鄭彼注云簪連也據此則此注速字當爲連形之譌若鄭本訓速是與揝疾之揝同義矣蜀才本何事曲爲分別乎揝爲簪之異文而簪爲鐕之借字說文鐕可以綴著物者與連同義鄭氏易注盇讀簪爲鐕

晁氏云一行謂朋當作用

六五貞疾恆不死上六冥豫

釋文云冥鄭讀爲鳴案謙上作鳴謙故鄭有此讀

成有渝无咎

☱☳隨元亨利貞无咎初九官有渝

釋文云官蜀才作館惠氏棟云官本古文館禮天子

傳官人陳牲聘禮云管人布幕于寢門外鄭注云管

猶館也古文管作官

貞吉出門交有功六二係小子失丈夫六三係丈夫失

小子隨有求得利居貞九四隨有獲貞凶有孚在道已

明何咎九五孚亐嘉吉上巾拘係㞢

乾鑿度係作繫

乃詶維㞢王用亯亐卥山

晁氏云京虞陸績一行皆作享享俗字

䷑蠱元亯利涉大川先甲三日後甲三日初巾斡文

㞢蠱

今本說文脫斡字六書故引唐本說文云斡溼之斡

也蓋古本有之諸書借乾爲斡而經典則引伸爲斡

事之義

有子考

釋文云馬以考絕句

无咎

　漢書五行志引京房易傳无作亡

厲終吉九二幹母㞢蠱不可貞九三幹父㞢蠱小有悔

无大咎六四裕父㞢蠱往見吝六五幹父㞢蠱用譽上

九不事王侯高尚其事

䷒臨元亨利貞至亏八月有凶初九咸臨貞吉九二

咸臨吉无不利六三甘臨无攸利旣憂㞢无咎

　憂爲惪之假字

六四至臨无咎六五知臨大君㞢宜吉上六敦臨吉无

咎

䷓觀盥而不薦

釋文云而不薦本又作而不觀薦案鄉飲酒禮疏引鄭云諸侯貢士於天子鄉大夫貢士於其君必以禮賓之唯主人盥而獻賓賓盥而酢主人設薦俎則弟子也據此則鄭氏古本作不薦王肅見馬注有神降薦牲其禮簡略不足觀之語遂於不下增觀字作觀盥而不觀薦不知馬明所以不薦之誼以其禮簡略不足觀故引孔子旣灌而往吾不欲觀以證其誼非必薦上有觀字也李鼎祚注云觀盥而

不觀薦而其本仍作盥而不薦可知古本原無觀字

有孚顒若初六童觀

釋文引馬云童猶獨也鄭云稚也案依鄭義則童爲僮之假字馬云獨者太玄衝云童寡有也寡有卽獨義

小人无咎君子吝六二闚觀

釋文云闚本亦作窺說文闚閃也閃闚頭門中也互艮爲門故取闚象古則闚窺通用

利女貞六三觀我生進退六四觀國之光利用賓于王

九五觀我生君子无咎上九觀其生君子无咎

䷔噬嗑亨利用獄初九屨校滅趾无咎

今本作趾釋文云止本亦作趾趾足也案說文無趾字止下基也象艸木出有阯故曰止爲足夬壯于前趾艮艮其趾釋文引荀本俱作止則此之作止者蓋荀本然也鄭注士昏禮皆有枕北止云止足也古文止作趾（趾止二字譌倒）據此則鄭易當亦從古文作止

六二噬膚滅鼻无咎六三噬𦠆肉遇毒

惠氏棟改集解腊作㫺說文㫺乾肉也从殘肉日以晞之與俎同意𦠆籒文从肉案籒文作𦠆肉在下隸變作腊肉在左旁費氏易蓋用籒文𦠆不用古文㫺釋文以其从月故不復別之也鄭注腊人云腊之言

夕也夕卽昔之假字凡久謂之昔周禮昔酒鄭云今
之酋久白酒周語味厚實腊毒韋注云腊亟也讀若
廟昔酒焉味厚者其毒亟也此卽噬腊遇毒之義
小吝无咎九四噬乾胏
釋文云馬云有骨謂之胏鄭云簀也字林云𡋻食所
遺也一曰脯也子夏作脯徐音甫荀董同案馬鄭本
之訓纂字林本之說文說文𡋻食所遺也从肉仕聲
易曰噬乾𡋻胏楊雄說𡋻从朿許君爲孟氏今易子
雲好古文奇字其云从朿𡋻古文如是觀馬鄭之易
益知子雲之言不誣也說文脯乾肉也此言噬乾脯

而九五文言噬乾肉是同 義矣荀爲費易必不從子夏作脯釋文荀字當爲他字之誤案太平御覽引王肅云四離陰卦骨之象骨在乾肉脯之象是王肅本亦作脯

得金矢利艱貞吉

唐石經貞下旁添大字

六五噬乾肉得黃金貞厲无咎上九何校滅耳凶

釋文云何本亦作荷案說文誰何之何本單作可其从人者爲儋何之何其作荷者俗字也集解引荀注云爲五所何故曰何校鄭云離爲槁木坎爲耳木在

耳上何校滅耳之象其本俱作何攷文引古本謂作
荷非

䷕賁

說文賁飾也从貝卉聲鄭云賁文飾也許鄭皆从序
卦傳爲義太元亦以飾準賁王肅云賁有文飾黃白
色此亦本之鄭注鄭箋詩賁然來思云賁黃白色也
釋文云傅氏以賁爲古斑字鄭注王制云雜色曰斑
呂覽壹行篇孔子卜得賁曰不吉高誘注云賁色不
純也詩云鶉之賁賁案今詩作奔賁之爲奔猶賁之
爲斑也賁斑聲義俱同

亯小利有攸往

郭京舉正小字作不謂不字草書勢如小字作致誤不知此與巽小亨既濟小利貞同例諸家易無作不者后經利下旁添貞字案鄭注云卦互體坎艮艮止於上坎險於下夾震在中故不利大行小有所之則可矣據此則古本祇作小利有攸往

初九賁其止

今本作趾釋文云趾一本作止案所謂一本即費氏古易觀夬艮引皆可知

舍輿而徒

今本作車釋文云車音居鄭張本作輿從漢時始有

居音

六二賁其須

釋文云須从彡水邊作者非晁氏云今文作嬬賤妾

也案說文須面毛也須與止皆就人身言

九三賁如濡如永貞吉六四賁如皤如

今本作皤釋文云皤鄭陸作燔音煩顧氏易音引鄭

作蹯云漢蔡邕述行賦䆁馬蹯而不進兮卽此字經

義攷亦同盧文弨所校釋文遂據以改燔為蹯案古

無蹯字鄭作燔者番之假字也說文獸部番字解云

獸足謂之番从釆田象其掌或从足从煩作蹞古文

作𢀖櫝弓正義引鄭注云初進退未定故皤如盍據

今文改燔爲皤非鄭之舊也釋文引荀作波波與番

古字通周禮職方氏其浸波溠鄭注云波讀爲播書

禹貢滎波既豬史記作滎播楚辭九歌𢀖芳椒兮成

堂丁度洪興祖皆云𢀖古播字荀作波者盍假波以

明燔字之音耳說文白部引易作皤今文易也

白馬翰如匪寇昏冓

今本作婚媾

巾五賁亏丘園

釋文云黃本賁作世案荀易云艮山震林失其正位在山林之間賁飾邱陵以爲園圃隱士之象也五爲王位體中履和勤賢之主尊道之君也故曰賁于丘園束帛戔戔是荀本古易作賁不作世漢易皆同黃頴以中孚豚魚作遯魚此賁字作世皆新義竊疑世爲賁字上半之脫譌

束帛戔戔

釋文云子夏傳作殘殘案周禮槁人注雖其潘瀾戔餘釋文云戔本亦作殘戔殘音同字劉孟陽碑銘理財正辭束帛戔戔張衡東京賦聘邱園之耿介旅束

帛之戔戔所用易俱作戔戔王君廟門斷碑作束帛
有琖琖異字
上九白賁无咎
䷖剝不利有攸往初六剝牀㠯足蔑貞凶
釋文云蔑馬云無也鄭云輕慢荀作滅案蔑滅古字
通周語而蔑殺其民人韋注云蔑猶滅也文選鄰里
相送方山詩音塵慰寂蔑李注云蔑一作滅此葢古
文作蔑荀據彖傳滅字以明其義耳易字解經古人
多有此例
六二剝牀㠯辨

釋文云辨徐音辨具之辨足上也馬鄭同黃云胇賁也薛虞膝下也鄭符勉反晁氏云古文作分今文作辨鄭作辨辨云足上稱辨謂近膝之下詘則相近信則相遠故謂之辨辨分也王氏引之謂辨當讀爲蹁釋名釋形體曰膝頭曰膊或曰蹁蹁扁也膝頭在足之上故初爻言足二爻言蹁二居下卦之中猶膝頭居下體之中故取象於蹁古聲辨與蹁通猶周徧之徧通作辨也今謂鄭注足上稱辨蓋亦以辨爲蹁虞氏謂指間稱辨剝剝二成艮艮爲指故剝牀以辨此則以辨爲釆釆爲指爪分別之名其與足又何以異耶

王輔嗣亦從鄭君足上之義蓋古文家相傳舊說不
可易也
蔑貞凶巾三剢无咎
今本作剢之无咎釋文作剢无咎云一本作剢之无
咎非晁氏云京劉荀爽一行皆无之字馮氏椅云後
人以贊有之字遂疑經脫此一字增入也項氏安世
亦云然
巾四剢牀㠯膚凶
釋文云京作簠謂祭器案膚辨足皆一例字京乃異
說

中爻貫魚以宮人寵无不利上九碩果不食君子得輿

釋文云京作德輿董作德車惠氏改集解得輿爲德車

小人剝廬

䷗復亨出入无疾朋來无咎

釋文云朋京作崩崩爲異義

反復其道

釋文云復本又作覆彖同案乾象傳云終日乾乾反復道也與此正同覆字非是

七日來復利有攸往初九不遠復无祇悔

今本作祇釋文云祇音支辭也馬同音之是反鄭云病也王肅作禔時支反陸云禔安也九家本作𢻱字音支晁氏云京劉一行作祇安也案以上皆祇字誤作祇唐石經作祇是也說文示部祇訓神祇从氏祇訓敬从氏又別有禔字从是安也李善文選注引作禔安也今本安下衍一福字引易禔既平今易亦作祇古氏是二字同部故得通用若氏則另為一部不同部者率不相假古之例也據京房王肅之易作禔知古本必作祇不作祇玉篇於衣部添祇字讀之移切訓為適五經文字及廣韻從之唐人皆以从衣之衹為適祇字說文所無葢俗體

也說文禔安也卽祇適之字安與適同義是氏通用故古人假祇爲禔鄭訓祇爲病葢讀祇爲疷耳九家易作㩼者廣雅㩼多也古多氏同音說文㚲字从女多聲或从氏聲作㛅左傳祇見疏也服虔本祇作多史記韓安國傳禔取辱耳漢書作祇禔取辱猶多取辱與祇見疏句法正同祇禔多三字葢同部同借

二元吉巾二休復吉巾三顰復

今文作頻釋文云本又作嚬嚬眉也鄭作顰音同馬云憂頻也案音訓引釋文鄭作卑晁氏云卑古文頻字今文作顰段氏玉裁云說文顰从頻卑聲諸家易

作頻省下卑鄭作卑省上頻古字同音假借則鄭作
卑爲是諸家作頻非顰本在支韻不在眞韻也自各
書省爲頻又或作嚬又假矉爲顰而古音不可復知
乃又改音義云鄭作顰幸晁氏呂氏所據音義皆作
卑晁云卑古文也今文作顰攷古音者得此眞一字
千金矣今謂晁呂所據釋文當係譌爛今所不從
厲无咎卯四中行獨復卯 又敦復无悔
敦爲惇之假字說文惇厚也隸變作敦
上卯迷復凶有裁眚
今本作災釋文作灾云本又作災鄭作裁說文裁正

字也灾或字也災籒文 也晁氏云古文作抶
用行師終有大敗㠯其國君凶至于十秊不克征

䷘无妄

釋文云馬鄭王肅皆云 妄猶望謂无所希望也史記春申傳云世有毋望之福又有毋望之禍今君處毋望之世事毋望之主安可以無毋望之人乎索隱云周易有无妄卦其義殊也案望妄同音相借大戴禮文王官人篇故得望譽望譽即妄譽而盧辯注云妄當聲誤爲望不知妄望古葢通用史遷受易於楊何而无妄作毋望馬鄭亦用楊何之義而妄讀爲望蔡

邕和熹鄧皇后謚議云消無妄之運者也此用三家
今文作無字惠氏棟云論衡易无妄之應水旱之至
自有期節易无妄卽易之无妄傳也劉逵吳都賦注
引易无妄曰災氣有九陽阨五陰阨四合爲九一元
之中四千六百一十七歲各以數至漢書律麻志引
易九戹曰初入元百六陽九孟康注云易傳也所謂
陽九之戹百六之會尋九戹當作无妄卽易无妄故
孟康以爲易傳篆无妄與九戹相似故誤從之志言
經歲四千五百六十災歲五十七故一元之中四千
六百一十七歲所謂易无妄之應也

元亨利貞其匪正有眚不利有攸往初九无妄往吉六二不耕穫不菑畬凶利有攸往

今本凶作則禮坊記引作不耕穫不菑畬凶說文畬下引易曰不菑畬田段氏以田爲凶字之誤與坊記所引同案鄭注禮不言易無凶字則古本易必有凶字無疑且易凡言利有攸往上亦無加則字者則必爲凶字之譌俞思謙云卦名无妄若不耕而穫不菑而畬則莫妄於是所以凶也利有攸往利往而耕之菑之也惠氏棟周易述據坊記增凶字釋文云或依王注作不耕而穫非下句亦然周禮注亦增而字

中三无妄之栽

今本作災據復上則此文鄭亦當作栽下同

或繫之牛行人之得邑人之栽九四可貞无咎九五无妄之疾勿藥有喜上九无妄行有眚无攸利

據象傳无妄之往无妄之行則初九當以无妄往斷句上九當以无妄行斷句象傳无妄之往何之矣郎此无妄行有眚也費以象象解經當如此讀

䷙大畜

釋文云本又作蓄

利貞不家食吉利涉大川初九有厲利已

釋文云已夷止反或音紀姚同案音紀字當作己觀象傳不犯災則讀爲已止之已者是石經作已

九二輿說輹

釋文云輿本或作轝輹或作輻一去車旁作复虞翻作腹說見小畜

九三良馬逐逐

今本作良馬逐釋文云鄭本作良馬逐逐云兩馬走也姚云逐逐疾並驅之皃晁氏云王昭素謂當作逐逐案顏氏家訓書證篇亦引作良馬逐逐

利艱貞

虞易作利艱貞吉李鼎祚同

日閑輿衞

今本作曰釋文云曰音越劉云曰猶言也鄭人實反云日習車徒晁氏云虞云離爲日陸希聲謂當作日李鼎祚同朱子本義亦云當爲日月之日盖皆從鄭也

利有攸往六四童牛之梏元吉

今本作童牛之牿釋文云童廣蒼作犝說文引易作僮牛之告晁氏云童古文釋文云牿古毒反劉云牿之言角也陸云牿當作角九家作告說文同云牛觸

人角著橫木所以告人晁氏云說文牿牛馬牢也虞俟果皆以爲楅衡則亦告字也鄭作角案鄭志冷剛問大畜六四童牛之梏元吉注巽爲木互體震震爲牛之足足在艮體之中艮爲手持木以就足是施梏又蒙初六注云木在足曰桎在手曰梏今大畜六四施梏於足不審手足定有別否答曰牛無手以前足當之大司寇疏引注亦同是鄭本作梏不作角也六五豶豕之牙讀爲互因此文作梏爲對文耳若作角則與牙對文必不改讀互矣

六五豶豕之牙吉

釋文云牙鄭讀爲互地官牛人凡祭祀共其牛牲之互司農云互謂楅衡之屬鄭注云互若今屠家縣肉格西京賦置互擺牲薛注云互所以挂肉卽本鄭義此互亦當如之周禮釋文云互徐音牙漢書劉向傳谷永傳注俱云互字或作牙二字古葢同音相借不但形近相亂也

上九何天㞢衢亯

後漢崔駰傳云何天衢於盛世兮注引鄭云艮爲手手上肩也乾爲首首肩之間荷物處乾爲天艮爲徑路天衢象也魯靈光殿賦云荷天衢以元亨注引鄭

云人君在上位負荷天之大道是鄭以何爲儋何字
王弼注以爲何辭本義謂何天之衢言何其通達之
甚程傳用胡氏之說以何爲羨文皆不得其解李善
注魯靈光殿賦引易作荷天之衢荷俗字

䷚頤貞吉觀頤自求口實
注疏本實或作食非鄭注云頤中有物曰口實

初九舍爾靈龜觀我朵頤凶
釋文云朵動也鄭同京作揣晁氏云京作端與朵同
音動也劉亦作端案晁氏暨集韻類篇俱引京作端
云動也字从土音多果反說文無端字六經正誤亦

云京作揣廣雅揣動也葢本京氏易宋人據誤本釋文作揣非也陳氏壽祺云集韻三十四果揣重文挆說文揣量也廣雅挆量也揣挆葢一字古文从省假朵爲之朵說文樹木𠂹朵朵也李鼎祚云朵者頤垂下動之皃義葢兼取許鄭今本作朶朶爲朵之俗

卯二顚頤拂經亐丠頤征凶

釋文云拂子夏作弗云輔弼也晁氏云劉一行作弗輔弼也下同弗古弼字案拂弗同文選顏延年應詔讌曲水詩滯瑕難拂李善注云拂亦作弗古字通詩生民釋文引韓云拂弗也但以弗爲輔弼爲易之異

義

屮三拂頤貞凶十季勿用无攸利屮四顚頤吉虎視眈眈

今本作眈眈案說文眈視近而志遠易曰虎視眈眈釋文亦作眈漢書敘傳云六世眈眈亦係後人據今易本所改張壽碑作覘覘虎視惠氏棟謂視古本作眂見鄭氏周禮眂瞭注其所校集解本又改作眎

其欲悠悠无咎

今本作逐逐釋文云逐如字子夏傳作攸攸志林云攸當爲逐逐蘇林音迪荀作悠悠劉作跾云遠也說文

跾音式六反案漢書叙傳六世耽耽其欲浟浟蕭該
音義云今漢書本作悠悠應劭曰耽近也悠遠也言
武帝內興文學外耀神武耽耽悠悠而盛也據此知
應劭所見漢書作悠班正與荀同也浟攸跾悠皆同
聲相假自虞喜志林有攸當爲逐之說而王弼遂竟
改作逐故師古謂今易浟字作逐案悠亦與逐同音
管子地員篇其草宜苹蓨一名蓫詩小雅言采其蓫
齊民要術引詩義疏云今羊蹏幽州謂之蓫一名蓨
詩考槃在陸顧人之軸傳云軸進也箋云軸病也正
義云傳軸爲迪釋詁云迪進也箋以與陸爲韻宜讀

為逐釋詁云逐病逐與軸葢古今字異是毛讀軸如
攸鄭讀軸如逐此攸逐同聲之證也
卯五拂經居貞吉不可涉大川上九由頤厲吉秎涉大
川
䷛大過棟橈
橈或从手作撓非
秎有攸徃亯秎卯藉用白茅无咎九二枯楊生荑
今本作稊釋文云稊鄭作荑案文選從遊京口北固
應詔詩原隰荑綠柳李善注云荑與稊音義同莊子
知北遊釋文云荑本作稊孟子不如荑稗長短經作

不如稊稗說文荑从艸夷聲玉篇从弟作苐音題稊
爲荑之俗體說文無稊字鄭作荑葢古文如此作也
劉琨勸進表云生繁華于枯荑卽用易文釋文謂鄭
讀枯爲姑謂無姑山榆荑木更生謂山榆之實案爾
雅無姑其實夷郭注云無姑姑榆也御覽九百五十
六引爾雅無姑作無枯與鄭義合藝文類聚八十八
引廣志云有枯榆有郎榆枯榆卽姑榆也秋官壺涿
氏以牡橭午貫象齒杜子春注云橭讀爲枯枯榆木
名橭枯姑皆同聲字爾雅釋文云夷舍人本作桋說
文梗山枌榆有束莢可爲蕪荑者其字正作荑據此

則鄭以枯楊爲二木矣
老夫得其女妻无不利九三棟橈凶九四棟隆吉有它
吝九五枯楊生華
晁氏云華鄭作荑詩桃夭正義引鄭注以丈夫年過
娶二十之女老婦年過嫁於三十之男皆得其子子
謂荑也但九二荑與妻韻九五華與夫韻若作荑則
失韻矣虞翻引馬融荀爽老婦女妻之說而不言華
之異文則費本必作華與諸家同老夫女妻雖過以
相與尙能生育故取象於荑老婦士夫則剛柔不能
相濟祇以爲醜故取象於華此語之最顯著者鄭以

枯爲姑別生異義故破字以就之

老婦得其士夫

郭京舉正士作少傳同

无咎无譽上巾過涉滅頂凶无咎

☵☵習坎

釋文云坎本亦作埳京劉作欿索三字古多通用爾雅釋言釋文云坎本作埳詩伐檀坎坎魯詩作欿欿埳爲坎之俗欿爲坎之假古本皆作坎字舉正謂習字上脫一坎字徐鄖新義亦云晁氏云例諸今文則脫在古文則不脫古文則以其卦爲其名故也古文

又以三爲水字

有孚維心亨行有尚初六習坎入于坎窞凶九二坎有

險求小得六三來之坎坎檢且枕

今本作險且枕釋文云古文及鄭向本作檢鄭云木

在手曰檢在首曰枕案釋名云枕檢也所以檢項也

枕檢一義三居兩坎之間故以在手在首取象最爲

顯切釋文云枕古文作沈九家本作玷案說文沈一

曰濁黕也楚辭九辨或黕點而汙之玷即點也沈與

玷一義晁氏云干寶作桉案集解引干寶云抌安也

葢訓枕爲安非以枕爲桉晁氏誤

人亏埃窞勿用巾四尊酾簋貳用缶
今本作樽鄭注禮器引易作尊惠氏刻集解改樽爲
尊樽俗字詩宛邱正義引鄭云六四上承九五又互
體在震上天子大臣以王命出會諸侯主國尊于簋
副設元酒而用缶也盖鄭以尊酒簋句貳用缶句則
釋文所謂舊讀也象傳曰尊酒簋剛柔際也費氏以
傳釋經當以簋字絕句
納約自牖
晁氏云納京一行作內云內自約束案內納古書逼
用鄭注春官納夏云故書納爲內其詩箋禮注俱云

納內也納爲內之借字惠刻集解本改內釋文云牖陸作誘案詩板天之牖民傳云牖道也韓詩作誘正義云牖與誘古字通用

緌无咎九五坎不盈祇既平

釋文云祇鄭云當作坻小邱也京作禔說文同案今文祇皆从氏作祇氏與是不同部不得相假與復初九祇既平之誤作祇者正同許京作禔者蓋孟易如此鄭謂當作坻者坻亦坻之誤字說文氐巴蜀名山岸脅之𠂤旁箸欲落墮者曰氏氏崩聲聞數百里象形揚雄賦響若氏隤玫今文選解嘲作坻隤應劭云

天水有大坂名曰隴坻韋昭云坻音若是理之是漢書作阺隤阺坻皆同字段氏玉裁云氏亦作是禹貢西頃因桓是來鄭注云桓是隴阪名今其下民謂阪爲是謂曲爲桓坻祇禔音義俱同釋文从氏作坻盖字之誤費氏古易原作祇而鄭以爲當作坻也

无咎上巾係用徽纆

王應麟輯鄭易作繫盖本宣元年公羊傳疏所引鄭注案此與隨係小子係丈夫之係同釋文亦不言係有異文疏因何注引易作繫因改鄭注以就之耳鄭司農周禮朝士注引作係用徽纆先鄭與後鄭俱爲

費易其本當無異同說文係絜束也繫纁也後人乃假繫爲係係之音與繼同故范注宣二年穀梁傳引作繼用徽纆詩何彼禯矣序不繫其夫釋文云繫本或作繼後漢書李固傳羣下繼望繼亦係也

示于叢棘

今本作寘釋文云寘劉作示言眾議于九棘之下也子夏傳作湜姚作寔是寔置也張作置案周禮朝士鄭司農注引易示于叢棘釋文云示之豉反又如字本或作寘據此則陸所見司農本作示故以寘爲或作今注疏本乃從或作寘非鄭之舊也先鄭亦爲費學

易者其本作示則古文作示可知後漢書鄭元傳論
云王父豫章君每考先儒經訓而長于元常以爲仲
尼之門不能過也及傳授生徒並專以鄭氏家法云
豫章君者范曄之祖范甯也范甯言經專宗鄭氏而
宣二年穀梁傳注引作示于叢棘葢卽用鄭氏本也
詩鹿鳴示我周行鄭云示當作寘寘置也又注中庸
云示讀如寘諸河干之寘寘置也此示字鄭亦當讀
爲寘公羊疏引鄭云上六乘陽有邪惡之罪故縛以
徽經置于叢棘而使公卿以下議之以示爲置葢讀
爲寘劉說與鄭同公羊何注從今文引作寘

三歲不得凶

䷝離

惠刻集解本改离

𥝢貞亯畜牝牛吉初九履錯然敬之无咎六二黃離元

吉九三日𣅳之離

今本作昃后經作昗釋文同云王嗣宗本作仄案說文𣅳日在西方時側也从日仄聲易曰日𣅳之離小徐本矢部又出昗字仄部仄籀文从矢作𠩺據此則昗蓋籀文𣅳字嚴可均云漢碑但有昗字豐象日中則𣅳釋文云孟作稷此文𣅳字孟亦當作稷而許引

作𠙴者葢以稷爲假字故不從也

不擊缶而歌

今本作鼓釋文云鼓鄭本作擊鼓擊同義竊疑鄭亦作鼓而訓爲擊故引詩坎其擊缶以明之觀宛丘正義所引易作鼓可知或正義引今文易而以鄭注釋之歟晁氏云古文作鞁

則大耋之嗟

今本作大耋之嗟凶說文耋从老省至聲廣韻耋亦作耋始不省非也釋文云京作經蜀才作咥馬云七十日耋鄭亦以耋爲年踰七十見詩車鄰正義是馬

鄭皆從古本作槎也 啞經音假字釋文云嗟荀作差下嗟若亦爾晁氏云 差古文案詩穀旦于差韓詩作嗟差爲嗟之省釋文謂古文及鄭薛（據音訓增薛字）无凶字晁氏云无凶字者得象數

九四㐬如其來如

今本作突晁氏云說文作𠫓云不順忽出也从倒子易曰突如其來如不孝子突出不容於內也㐬或从倒古学京鄭皆作㐬云不孝子也案許氏引易作突㐬孟本如此故云𠫓 卽易突字謂古之倒子卽孟易之突字孟假突爲𠫓 也惠氏校集解改作㐬㐬从晁

氏引鄭京之易

焚如𠈌如棄如

后經棄作弃說文棄捐也从廾推𠦒棄之从𠫓𠫓逆子也弃古文棄𢇛文棄鄭氏秋官掌戮注引作棄如棄爲𥿋孌之字鄭葢從𢇛文作棄也匈奴傳王莽作焚如之刑應劭云易有焚如死如棄如之言莽依此作刑名也如𦣞云焚如死如棄如者謂不孝子也不畜於父母不容於朋友故燒殺棄之皆引易作棄后經作弃者段氏云唐人諱世以棄字中體似世故改从弃耳

三百卅

屮又出歸舵砦

釋文云沱荀作池一本作沲案集解引荀本仍作沱沱池通用左氏襄九年傳而何敢差池釋文云池本作沱詩俾滂沱矣史記仲尼弟子傳作俾滂池矣古書从也从它之字多相通今本說文奪池字初學記引說文池者陂也从水也聲而本書池字亦屢見則池亦古文非後出之字也釋文云[illegible]古文若皆如此

案玉篇[illegible]籀文籒文繁重作[illegible]古文省若

戚差若吉

釋文云戚子夏作嘁差今本作嗟荀作差見上晁氏

云戚古文案戚爲慼之省

上九王用出征有嘉折首獲匪其醜无咎

費氏古易訂文卷一終

鎮南劉樾正字

華陽馮廉覆勘

資陽伍鋆斠刻

六十七

書影一

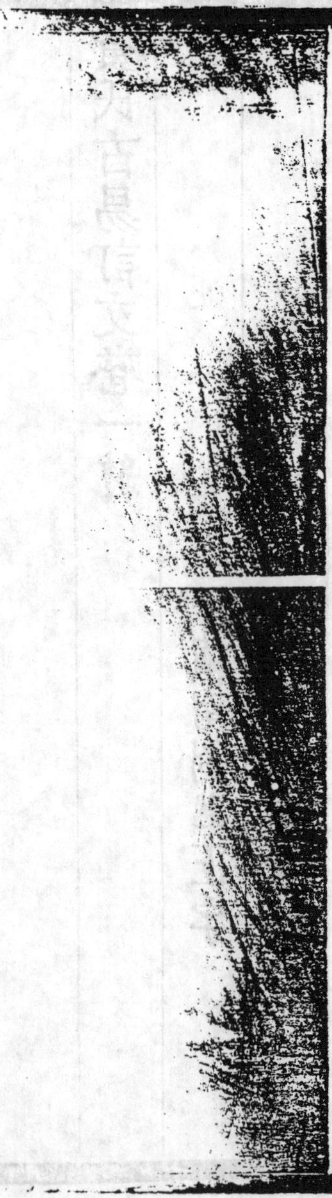

# 費氏古易訂文卷二

新城王樹枏

## 周易下

晁以道古易取王昭素序卦傳離者麗也麗必有所感故受之以咸咸者感也十四字增入正文謂易妄有上下經之分不知今之繫辭傳已明言二篇之策故呂氏音訓據漢志及汲冢書深斥之乾鑿度引孔子之言上下分篇與今正同後漢書荀爽傳云文王作易上經首乾坤下經首咸恆葢荀所據費氏古易如是也

䷞咸亨利貞取女吉

釋文云取本亦作娶晁氏云取古文

初六咸其拇

釋文云拇馬鄭薛云足大指也子夏作踇荀作母云陰位之尊案楚辭招魂敦胲血拇王逸注云拇手母指也母爲拇之省荀謂陰位之尊則失之惠刻集解據改母

六二咸其腓

釋文云腓鄭云膞膓也荀作肥云謂五也尊盛故稱肥案腓之言肥海外北經無䏿之國爲人無䏿郭璞

注云脢肥腸也齊策云徐子之狗攫公孫子之骩而
噬之腓肥同音荀謂尊盛稱肥則失其義咸以人身
立象與艮卦同傳所謂近取諸身也上卦象上體下
卦象下體故自拇至舌以次而及蔡中郎協和昏賦
云乾坤和其剛柔艮兌感其股腓咸爲下經人事之
首人事之感莫切于男女男女之感莫切于一身故
徧體皆咸以盡其象荀說非也
凶居吉九三咸其股執其隨往吝九四貞吉悔亾憧憧
往來
釋文云憧憧馬云行皃京作憧說文憧意不定也憧

遲也往來乃意不定之義無遲象憧爲憧之誤字
𠟃从爾恖九五咸其脢
釋文云脢鄭云背脊肉也說文同王肅音灰惠氏棟
云楚辭招魂敦脄血拇王逸注云脢背也脄與脢同
鄭眾注內饔刑膴謂夾脊肉膴亦與脢同晁氏云或
作脄作膴作脢王弼謂心之上口之下與漢儒異訓
无悔上六咸其輔頰舌
釋文云輔馬云上頷也虞作酺云耳目之間案虞注
艮五云輔面上頰骨上頰車也上頰車即頰骨在上
持牙者服虔注左傳謂之上頷車與馬注同而此又

謂耳目之間則以酺輔爲異字此虞之自亂其說也酺正字古文則假輔爲酺說文酺頰也又輔下又謂人頰車也許蓋以人頰車形容車輔之義知酺卽知輔字之義矣段氏乃謂人頰車也四字爲後人妄增殊失其旨釋文云頰孟作俠案說文酺頰也頰面旁也不引孟易俠俠蓋借字洪頤煊謂俠輕也俠舌謂輕舌此爲妄說晁氏云古文作夾釋名頰夾也

䷟恆

說文恆常也从心舟在二之間亙古文恆从月案依古文說則古恆字似立心在月右作亙今則立心在

月左作恆古文悔作毎與恆亟正相似緐變恆字改
月爲日而后經又避諱作恒陋者遂謂左旁从立心
右旁从一日言立心如一日乃久之義眞强解事也
亯无咎秝貞秝有攸徃初巾𢡟恒
今本作浚釋文云浚鄭作濬案說文𢡟爲睿之古文
深通川也浚抒也說文以爲二義衆經音義四云古
文溶濬二形今作浚
貞凶无攸秝九二𢘅亾九三不恒其徳或承㞢羞
釋文云鄭本作咸承案陸所據鄭本當有誤後漢書
馬廖傳注引鄭注云互體兌兌爲毀折後或有羞辱

也緇衣正義引作是將有羞辱也將有亦或有之義
是鄭易作或不作咸之證荀爽云與上相應欲往承
之爲陰所乘故或承之羞荀與鄭皆爲費易古本盎
作或不作咸論語不恒其德或承之羞即此爻文鄭
爲古文何至與孔子之書乖異
貞吝九四田无禽巾㐅恆其德貞婦人吉夫子凶上巾
振恆凶
釋文云振馬云動也鄭云搖落也張作震晁氏云虞
張作震動也說文作榰柱砥古用木今以石易榰恒
凶音支陸希聲謂作振本作寘案古韻支真相通禮

內則祗見孺子注云祗或作振書皐陶謨祗敬六德史記作振敬六德無逸治民祗懼魯世家作震懼盤庚爾謂朕曷震動萬民以遷蔡邕石經作祗動楮音同祗故孟作楮虞張作震皆振之假借也惠刻集解改振爲震

三三 遯

釋文云遯字又作逯又作遁同鄭云逃去之名晁氏云古文作遯字遯篆文或作逯云遁亦篆文遷也不與遯遁案說文遯逃也遁遷也一曰逃也晁氏所據說文本無一曰逃也四字故曰不與遯遁葢後人據

經典字增之也鄭云逃去之名則字本作遯遁爲假
字也遯遁遂古書通用顏師古則以遂爲古遁字惠
棟鄭易據集解作遂今集解本作遯不作遂太平御
覽逸民部引馬融九四好遯注亦作遯鄭當與馬同
言小利貞初六遯尾厲勿用有攸往六二執之用黃牛
之革莫之勝說九三係遯
釋文係本或作繫晁氏云古文作系
有疾厲畜臣妾吉九四好遯君子吉小人否
釋文云否鄭王肅備鄙反云塞也案象傳曰君子好
遯小人否也謂君子好遯小人不好遯也費以傳釋

經必不讀爲否塞之否宜从徐音方有反晁氏云古文作不字

九五嘉遯貞吉上九肥遯

晁氏云肥陸希聲云本作飛惠氏棟云姚寬西溪叢話曰肥字古作𩇯與古蜚字相似即今之飛字淮南九師道訓云遯而能飛吉孰大焉張平子思元賦云文君爲我端著兮利飛遁以保名注引易上九飛遯無不利謂去而遷也曹子建七啟云飛遯離俗是古易皆作飛遯王輔嗣注此爻云矰繳不能及似王本亦作飛也案明焦竑亦引金陵攝山碑緬懷飛遯以

證易爲飛字肥之爲蜚亦猶腓之爲肥古書同音相
假
无不利
䷡大壯
釋文云大壯鄭云氣力浸强之名馬云傷也太元以
格與夷準大壯蓋兩用其義
利貞初九壯亏止
今本作趾漢書敘傳云安國壯趾孟康云易壯于趾
顏師古云壯傷也趾足也蓋皆據今文
征凶有孚九二貞吉九三小人用壯君子用罔

釋文云罔羅也馬王肅云无案稽覽圖云地上有陰
而天上有陽曰應俱陰曰罔地上有陽而天上有陰
曰應俱陽曰罔鄭注云兩陰兩陽無相見之意曰罔
罔故爲亡也此言九三當壯之時小人恃其應而壯
而君子則不敢妄動雖有應若无應焉故曰用罔王
弼以罔爲羅罔非是

貞厲羝羊觸藩羸其角

釋文云羸馬云大索也王肅作縲音螺鄭虞作纍蜀
才作累張作虆案說文羸瘦也纍綴得理也一曰大
索也羸於易無所取象馬云大索葢纍之假字耳羸

其角者謂拘纍其角荀爽注井彖羸其瓶云初欲應
五今爲二所拘羸拘羸卽拘纍也荀注此爻云三欲
觸四而危之四反羸其角是荀本作羸不作纍與馬
易同鄭注乾鑿度云大壯九三爻主正月陰氣猶在
故羝羊觸藩而羸其角也彼文引作羸則鄭本必亦
作羸無疑釋文言鄭作纍者當是讀爲纍與井彖之
羸釋文言鄭讀曰虆虆者正同鄭與馬荀皆爲費易其
本必皆作羸釋文葢偶誤耳纍累者纍之俗體

九四貞吉悔亾藩決不羸壯亏大輿之輹

惠刻集解改作大轝之腹案虞翻作腹釋文云本又

作輻

中亙喪羊亏易

釋文云易鄭音亦謂佼易也陸作場謂壃場朱子語類云易不若解作疆場之場漢食貨志疆場之場正作易索鄭注佼當爲郊字之誤周禮縣師注云郊內謂之易郊易猶疆易也古疆場字祗作易說文無場字郭氏舉正羊作牛誤

无悔上中羝羊觸藩不能復不能遂无攸利艱則吉

䷢晉

今本作晉釋文云晉孟作齊子西反晁氏云說文作

𣈆齊古文𣈆篆文晉今文惠氏棟云𣈆改爲晉始于蔡邕石經古晉字讀爲齊音子斯切又即移切見春秋傳及公羊釋文嘯堂集古錄有𣈆姜鼎𣈆姬姓安得稱姜必齊姜也古文多借用故晉字或借爲齊晁以道以齊爲古文是春秋齊晉無別矣恐未然今案許偁孟易而說文𣈆下引易明出地上𣈆者蓋以𣈆爲古文齊爲借字故不從耳據此可知說文引經亦不專主一家也五經文字云𣈆石經作晉晉蓋隸變之字爾雅釋詁晉進也釋文云本又作𣈆此經釋文獨不言𣈆字何也

康矦用錫馬蕃庶

郭京舉正謂康當作亨王弼舊本作晉亨此卦下坤上離順而麗乎大明故亨今案馬注康安也鄭注尊也廣也弼用鄭本必作康不作亨郭京妄說釋文云庶鄭止奢反謂蕃遮禽也蕃遮禽者謂捍禦外侮史記紂以弓矢斧鉞使得征伐爲西伯卽錫馬蕃遮之義三接者謂伐犬戎伐密須等事考工記祭侯之辭曰惟若寍侯毋或若女不寍侯不屬于王所故抗而射女康侯猶寍侯也庶遮同音字庶或爲遮之省文

晝日三接

釋文云接鄭音捷捷勝也孫氏堂云禮內則注接讀爲
捷捷勝也與此訓合春秋左氏莊十二年經宋萬弒
其君捷公羊穀梁皆作接接捷古通
初六晉如摧如貞吉罔孚裕无咎
說文裕下引作有孚裕无咎案釋文每列說文異字
今不引說文作有孚知有爲字誤虞翻爲孟易而云
應離爲罔四坎稱孚則孟易作罔不作有可知
六二晉如愁如貞吉受茲介福于其王母六三衆允悔亾
何楷訂詁云允與𡙇通進也三在坤衆之先率衆同
進故曰衆𡙇此字當依說文所引升初六之辭作𡙇

古者鐘鼎銘用諧聲字多只用偏旁盖从省也案說
文㫃部旞導車所載全羽以為允允進也許氏盖亦
假允為䢜凡古文字皆从省故假允為之升初六允
升鄭荀意亦以允為進不必改作䢜也

九四晉如鼫鼠

釋文云子夏傳作碩鼠晁氏云翟元作碩鼠惠刻集
解改鼫為碩案鼫碩同字故詩正義引舍人樊光爾
雅注以詩碩鼠為彼五技之鼫鼠鄭易注亦引詩曰
碩鼠碩鼠无食我黍盖以為同物故引以證之孫堂
改原本鄭氏易注引詩之文為碩鼠則是並改經文

爲顧鼠則非鼫氏云九家作鼫鼠集解引九家云鼫鼠喻貪五伎皆劣四爻當之葢亦以鼫鼠爲顧鼠九家者荀馬鄭三家俱在錄中

貞厲六五悔亾矢得勿恤

今本作失釋文云孟馬鄭虞王肅本作矢馬王云離爲矢虞云矢古誓字案荀注云五從坤動而來爲離離者射也故曰矢據此則荀本亦作矢葢漢易皆作矢不作失虞翻雖爲異說而其字尚未改改矢爲得失之失者自王弼始

往吉无不利上九晉其角維用伐邑

惠刻集解維改惟案易惟字皆作維

厲吉无咎貞吝

䷣明夷利艱貞初九明夷亐飛垂其翼

垂爲𠂹之假字

君子亐行三日不食有攸往主人有言六二明夷睇亐

左股

今本作夷于左股釋文云夷子夏作睇鄭陸同京作

睇內則正義引鄭注云旁視爲睇六二辰在酉酉在

西方又下體離離爲目九三體在震震東方九三又

在辰辰得巽氣爲股此謂六二有明德欲承九三故

云睇于左股案睇眱同字夷當爲眱之省文晁氏云
九家易直作明夷于左股李氏集解從之葢脫誤也
左股左腹皆取象於人身而釋文引馬王肅作般云
旋也日隨天左旋也姚作右槃云自辰右旋入丑案
史繩祖學齋佔畢引陸德明音義云左股馬融王肅
音股字作般般旋也據此則馬易本作股特音股爲
般耳般字篆體似股仲秋下旬牌盤桓字作股桓楊
孟文石門頌孔府君牌陰亦以股爲般爾雅釋水鉤
般釋文云般本又作盤李本作股云水曲如鉤折如
人股故曰鉤股說文恆字从舟而古文从月般之省

爲股亦猶是也般股同體故諸家所讀互異其實古文作股不作般自馬誤以股爲般而王肅遂從馬以違鄭姚信又增木爲槃復改左爲右以遷就已說愈失愈遠矣

用拯馬壯吉

釋文作丞影宋本作丞今本譌拯陳氏壽祺云丞譌拯則注云拯救之拯於音爲贅云拯救之拯說文云舉也鄭云承也子夏作抍字林云抍上舉音承案今本說文有抍無拯抍字云上舉也从手升聲引易抍馬壯吉今玩陸氏上下文義其所見說文本必作拯字林乃作抍耳段氏玉裁據李善文選注所引說

文出溺爲拯改今說文抍爲拯字姚文田云一切經
音義所引說文亦作拯葢唐本如是淮南子齊俗訓
子路撜溺高誘注云撜拯同張參五經文字云拯作
承譌然則拯非俗字抍是字林後人羼入此釋文拯
救之拯下卽引說文云舉也鄭云承也則許與鄭皆
作拯艮釋文拯救之拯下卽引馬云舉也則馬本作
拯葢所引之義承上拯字而言陳氏壽祺謂明夷之
拯鄭作承艮之拯馬作承皆誤會釋文孫氏堂輯馬
易又作不抍其隨益失其實矣抍承撜拯丞皆同字
羽獵賦丞民乎農桑李善注引聲類云丞亦拯字也

列子黃帝並流而承之釋文云出溺爲承諸家直作拯又作撜漢孔彪碑抍馬蠲害葢用子夏之易晁氏云九家作承

九三明夷亏南狩

釋文云狩本亦作守同說文狩火田也今本誤犬引易曰明夷于南狩案狩守古通書詩禮左公穀凡巡狩字釋文俱云或作狩或作守晁氏云守古文

得其大首不可疾貞

案得首獲心皆取奇象而近世某氏乃謂首讀爲道以周書芮良夫篇予小臣良夫稽道羣書治要作稽

首爲譣得其大首猶得其大道平拙無義眞强解事也

中四入亏左腹獲明夷㞢心亏出門庭中五箕子㞢明夷𥝌貞

釋文云箕蜀才作其案說文𠀠籒文作𠥱古文省作𠀠鐘鼎款識商箕鼎字亦作𠀠箕其二字古盖通用蜀才以爲作其子者不敢顯稱箕子之名不知爻辭爲文王所作高宗帝乙皆直言其人何况箕子漢書儒林傳蜀人趙賓爲易飾文以爲箕子明夷陰陽氣亡箕子箕子者萬物方荄茲也荀爽據以爲說惠氏

棟申明其義謂其與亥子與茲字異而音義同淮南子爨萁燧火高誘注曰萁音該備之該該荄同物故三統厤曰該閡於亥孳萌于子是也五本坤也坤終于亥乾出于子用晦而明明不可息故曰箕子之明夷馬融俗儒不識大義以象傳有箕子之文遂以箕子當五尋五爲天位箕子臣也而當君位乖于易例不知箕子之明夷夷于六五昏闇之主故曰箕子之明夷生值其時非身居其位也且夫子實指箕子與文王並舉馬從費氏之易以彖象解經正合當日聖人之旨乾鑿度述孔子之言曰言帝乙箕子高宗明

有法也箕子之義孔子以來並無異說惠氏不信聖傳而妄從趙賓邪說穿鑿附會抑獨何歟晉鄒湛家諱云訓箕爲荄詁子爲玆漫衍無經不可致詰以譏荀爽則漢後儒者多有此說劉向有云今易箕子作荄玆荄後世庸儒竟有改字者矣

上六不明晦

舉正作至晦云晦字上脫至字誤增不明字妄說不足辨

初登于天後入于地

䷤家人初女貞初九閑有家悔亡六二无攸遂在中

賁貞吉九三家人熇熇

今本作嗃嗃釋文云嗃嗃馬云悅樂自得皃鄭云苦熱之意荀作確確劉作熇熇晁氏云鄭作熇熇苦熱之意案說文新附有嗃字云嚴酷皃玉篇嗃下引易家人嗃嗃嚴大之聲也嗃即熇之假字據釋文則鄭本作嗃與馬同據音訓則鄭本作熇與劉表同今玩其注云苦熱之意則字當作熇晁氏之言必有所據非臆改也劉表與鄭同時其本作熇葢古易如是馬融以嗃假熇而後世遂俱依作嗃字異而義亦因之而殊觀今說文熇熱也引詩多將熇熇而繫傳本作

嗃嗃其誤正與此同㷄與熇音近㷄俗字晁氏以爲
古文非也

悔厲吉婦子嘻嘻

釋文云嘻嘻馬云笑聲鄭云驕佚喜笑之意張作嬉
嬉陸作喜喜案說文無嘻字嘻當與歖爲一字欠曰
二部古多通用如嘯籀文作歗是也說文喜樂也古
文作歖故此歖字陸本作喜喜今字也說文以歖爲
嘻故不復收嘻嘻者歖之別體錢氏大昕以說文之
欸欸當此嘻嘻不知欸爲今之嗤字形聲各別也

終吝六四富家大吉九五王假有家勿恤吉上九有孚

威如綏吉

☲☱睽小事吉初九悔亾喪馬勿逐自復見惡人无咎

九二遇主于巷

今本作巷釋文云巷字書作衖案說文作䢼䢼里中道从𨛜从共皆在邑中所共也巷篆文从邑省篆郎史籀大篆䢼為篆文則䢼為古文矣衖為䢼之別體巷為䢼之省文

无咎六三見輿曳其牛掣

今本作掣釋文云掣鄭作犎云牛角皆踊曰犎徐市制反說文作觢之世反云角一俯一仰子夏作契傳

云一角仰也荀作觭劉本從說文解依鄭案爾雅牛屬角一俯一仰觭皆踊觢說文觢一角仰也从角㓞聲易曰其牛觢觭角一俯一仰也从角奇聲案一角仰之一乃因下觭字注一俯一仰而衍角仰卽爾雅所謂角踊也今本旣衍一字而陸氏又誤引觭字之注云角一俯一仰遂與爾雅不合而觢觭二字義亦相亂劉表從說文而解依鄭其實說文義與鄭同皆謂觢爲角踊犎者觢之異體爾雅釋文觢本作犎玉篇亦云觢或作犎觢之爲犎亦猶牴之爲觝从牛从角葢得互通也張有復古編云觢从角㓞省別作掣

非觢从角𢍁省故子夏傳作𢍁𢍁掣皆㸷字形聲之譌古从㓞从制之字多相通爾雅掣曳也釋文云掣本作摩是也从大从手之字亦相通詩緜爰契我龜釋文云契本作挈是也自子夏傳譌㸷爲𢍁王弼易又譌爲掣而因以牽掣之義釋之失古愈歧矣王弼本亦用費易古文必作㸷字手牛字形相近故致此誤若是从角則無從譌爲手矣許氏收觢不收㸷以觢即是㸷孟氏本或如此作故尊其所師然㸷定非俗字也虞翻注謂牛角一低一仰其字當同荀本作觭惠氏乃僞造觢字以改集解並改虞注殊失其實

臾挈劓韻觭非韻者木非是

其人天且劓

釋文云天剠也馬云剠鑿其額曰天案馬本當作天於喬切鄭注王制云天斷殺也廣雅剔天也斷絕爲天而鑿額亦謂之天猶之斷絕爲刖而斷足亦謂之刖詩天夭是椓天椓乃是二刑天者鑿其額椓者㱾其陰詩則以天椓統爲殺害耳自虞翻讀天爲天而曰黥額爲天於是古訓罕聞遂啟後人之疑竇矣朱子語類謂天合作而剃鬚也篆文天作兲而作耏注以爲髡首之刑元史李孟傳亦作耏且劓荅皆從胡

瑗之說某氏謂天爲兀字之誤古文天作兲見玉篇
莊子德充符篇魯有兀者釋文引李云刖足曰兀兀
且劓猶困九五劓刖也以上二義皆不得其說而臆
爲之說釋文云劓王肅作臲說文劓刖鼻也易曰天
且劓重文劓云劓或从鼻案鄭爲古文尚書其注呂
刑云劓截鼻也周禮司刑注亦云據此則劓亦古文
晁氏云王作臲卽隉字阢隉
无初有終九四睽孤遇元夫交孚厲无咎中爻悔亾厥
宗噬膚往何咎上九睽孤見豕負塗載鬼一車先張之
弧後說之壺

今本作後說之弧釋文云說吐活反一音始鋭反弧
本亦作壺京馬鄭王肅翟子元作壺虞翻云兌爲口
離爲大腹坤爲器大腹有口坎酒在中壺之象也蓋
古易皆作壺而說讀爲稅自王弼始誤爲弧而以說
弧爲解說其弧由唐以來卒沿其謬惠氏棟云弧者
聲之誤也左傳狐駘禮記作壺毛詩八月斷壺傳云
壺瓠也案禮說云古說與設通虞翻云猶置也上與
三先疑後釋張弧者拒之如外寇設壺者禮之若內
賓壺誤爲弧失其義矣太元曰家無壺婦承之姑壺
者家之禮法故家無壺婦無以承姑妻無以事夫上

九六三昏冓之象始以爲寇也故先張之弧非寇乃昏冓故後設之壺昏禮設尊於室爲內尊又尊於房中東爲外尊此之謂設壺孔氏廣森云先儒說屯之屯膏師之帥師漸之取女歸妹之承筐明夷之垂其翼皆因商易舊文歸藏卦名以睽爲瞿其繇曰有瞿有鰥宵梁爲酒尊于兩壺是說壺之文亦有因于古

匪寇昏冓

今本作婚媾

往遇雨則吉

☶☵蹇

慧琳一切經音義屢引周易謇難也元應云古文謏

蹇二形今作謇方言作寋寋卽蹇也皆蹇之異文

秎啚南

考文引古本利下衍也字

不秎東北秎見大人貞吉初巾徃蹇來譽巾二王臣蹇

蹇

衡方碑謇謇王臣張表碑謇謇匪躬蹇俱作謇晉書

王豹傳亦作王臣謇謇漢書敘傳蹇蹇帝臣匪躬之

故龔遂傳蹇蹇亡已太元勤往蹇蹇皆用古文

匪躬㞢故九三徃蹇來反

郭京舉正據王弼本反作正案王注云進則入險來則得位故曰往蹇來反並不作正字傳同

六四往蹇來謰

惠氏棟云虞氏讀連爲輦輦亦難也王弼謂往則無應來則乘剛往來皆難是王亦讀爲輦古文輦作連見周禮鄉師注惟荀注讀如今音案釋文引馬云連亦難也鄭如字遲久之意遲久亦蹇難之義荀子非十二子篇其容簡連楊倞注云連讀往蹇來連之連簡連卽蹇連之音借字

九五大蹇朋來上六往蹇來碩吉利見大人

三三解利西南无所往其來復吉有攸往夙吉初六无
咎九二田獲三狐得黃矢貞吉六三負且乘致寇至貞
吝九四解而拇
釋文云拇荀作母案馬鄭本俱作拇與咸卦同惠刻
集解改母
朋至斯孚六五君子維有解吉
惠刻集解維作惟
有孚于小人上六公用射隼于高墉之上
今本作墉釋文作庸音容馬云城也案同人之乘其
墉釋文云鄭作庸此文鄭當同之惠刻集解改經文

作庸而案語仍作墉盖未改盡者

獲㞢无不利

䷨損有孚元吉无咎可貞利有攸往曷㞢用二簋可用亯

釋文云簋蜀才作軌案說文簋黍稷方器也从竹皿皀匭古文簋从匚飢匭古文簋从匚軌朹亦古文簋攷鄭君以軌爲簋之古文公食大夫禮設黍稷六簋于俎西鄭注云古文簋皆作軌鄭爲古文易應同蜀才作軌而攷工記旊人疏引鄭易注仍作簋者案嬴秦小篆兼古文大篆而用之其重文言古文作某而

不列籀文者則篆卽是籀文其言籀文作某而不列
古文者則篆卽是古文此簋字下三列古文不列籀
文則簋字爲史籀大篆可知周禮小史敘昭穆之俎
簋鄭君云故書簋或爲几鄭司農云几讀爲軌書亦
或爲簋古文也葢言故書作几亦或作簋皆爲古文
秦小篆專用籀文簋不用几軌故鄭君以其不用者
爲古文其實簋軌几皆古文先鄭之說甚明段氏妄
增小史注文以牽合儀禮鄭君之注要之先鄭後鄭
未嘗異也軌爲古文之借字匭字則鄭訓爲纏結見
尚書苞匭菁茅注故不用之言今本作亯釋文云亨

香兩反蜀才許庚反案荀注讀爲亨獻之亨蜀才非
是然據此可知古本作亨不作享矣
初九已事顓徃
釋文云已音以本亦作以虞作祀說文引作㠯案虞
翻云祀舊作巳則古本葢皆作巳也顓今本作遄說
文亦引作遄遄者三家今文釋文云荀作顓
无咎酌損之九二利貞征凶
考文引古本征作往
弗損益之六三三人行則損一人一人行則得其友六
四損其疾使遄有喜

或謂初與四應荀本初作顚四亦當作顚案初四各有象義不必同字諸家葢因四作遖遂改初爲遖耳
无咎巾又或益坐十朋坐龜弗克違元吉上九弗損益坐无咎貞吉利有攸徃得臣无家
漢書五行志谷永曰易稱得臣無家言王者臣天下無私家也蔡邕答詔問災異八事亦作得臣無家無
者三家今文
☴☳益利有攸徃利渉大川初九利用爲大作元吉无咎巾二或益坐十朋坐龜弗克違永貞吉王用亯亏帝吉

今本作享俗字釋文作亨

巾三謚㞢用凶事无咎有孚中行告公用圭

釋文云王肅作用桓圭案九家易云天子以尺二寸

元圭事天以九寸事地也上公執桓圭九寸諸侯執

信圭七寸諸伯執躬圭七寸諸子執穀璧五寸諸男

執蒲璧五寸五等諸侯各執之以朝見天子也言此

者以明用圭之事爲五等諸侯王肅乃專以圭爲桓

圭爲上公所執遂妄增桓字而不知與先儒不合也

巾四中行告公訆秎用爲依遷國九五有孚惠心勿問

元吉有孚惠我德上九莫謚㞢或擊㞢立心勿恆凶

䷪夬揚于王庭孚號有厲告自邑不利即戎利有攸往初九壯于歬止

今本作趾釋文云趾荀作止

往不勝爲咎九二錫號𦱤夜

今本作惕釋文云惕荀翟作錫云賜也號戶羔反鄭王肅音号荀謂孚號爲信其號令于下則錫號即爲賜其號令于下也鄭荀古本盖皆讀爲號令之號釋文云莫音暮鄭如字云無也莫夜非一夜案說文𦱤日且冥也从日在茻中茻亦聲古文暮祇作莫字𦱤今作莫𦱤省此經莫夜當讀如諸家據象傳有戎勿

恤則經當以錫號莫夜爲句

有戒勿恤

說文目部䀏讀若易曰勿䘏之䘏葢今文易作䘏古文易作恤也

九三壯于頯

今本作頄釋文云頄顴也鄭作頯頯夾面也蜀才作仇案頄爲頯之別體說文頯權也太元視次四粉其題頯雨其渥須即本此爻反正爲義說文廾部𢍏从肉讀若逵逵與馗同古音同仇足部𨃨亦云讀若逵蜀才作仇葢同聲相借也

有凶君子夬夬獨行遇雨若濡有慍无咎九四臀无膚

說文𡱂髀也从尸下丌𡱂几脽𡱂或从肉隼𩪠𡱂或从骨殿聲案經典皆作臀从肉周禮鄉師巡其前後之屯故書屯或為臀鄭大夫杜子春皆讀為殿殿者臀之省借从骨从肉之字古多通用𩪠之从肉作臀亦猶膀之从骨作髈故書如此作必古文有此一體也

其行趑且

今本作次釋文云次本亦作趑或作𧿳說文及鄭作趑同七私反馬云郤行不前也說文倉猝也且本亦

作趑或作跙同七餘反下同馬云語助也王肅云趑趄行止之礙也下卦放此案鄭作趑馬亦作趑釋文所引馬注葢承上趑字而言觀下引說文可知馬云卻行不前葢以趑爲次論語造次必于是馬云急遽也鄭云倉猝也又以次爲趑二字古葢通用說文有趑字云趑趄行不進也與馬義合而陸不引者古本說文有趑無趑次與趑同後人因加走旁作趑與趑字別爲一義徐鉉又因趑下注趑趄字增趄篆其實古本祇作且故馬以爲語助廣雅釋訓云趑雎難行也此係所引易家別本然亦作雎不作趄陸氏所見

說文尚無趑字故引趀不引趑也惠輯鄭易作趄失攷

牽羊悔亾

釋文牽子夏作掔掔爲牽之假借公羊僖二年傳牽馬而至釋文云牽本作掔衆經音義十三引三蒼云掔亦牽字

聞言不信九五莧陸夬夬

釋文云莧閑辯反三家音胡練反一本作莞華板反馬鄭云莧陸商陸也宋衷云莧莧菜也陸當陸也虞云莧說也陸和也蜀才作睦睦親也通也集解引荀


文莫室

爽云莧謂五陸謂三莧者葉柔而根堅且赤以言陰在上六也陸亦取葉柔根堅也去陰遠故言陸虞翻云莧讀夫子莧爾而笑之莧睦和睦也舊讀言莧陸字之誤也馬君荀氏皆從俗言莧陸非也案子夏馬鄭王肅王弼皆以莧陸爲一物荀爽宋衷黃遇皆以莧陸爲二物然皆從古文作莧陸虞翻蜀才乃以莧睦假借之字盡改舊義虞爲孟氏之易而羅苹路史後紀注五引孟喜云莧陸獸名夬有兑兑爲羊也虞蓋從其音不從其義案說文莧山羊細角者从兔足苜聲讀若丸莧菜也从艸見聲字體不同不得以莧

爲蒐此三家之今文與古文異者元明諸儒多從孟
說
中行无咎上巾无號終有凶
䷫遘
今本作姤釋文云姤薛云古文作遘鄭同案經文皆
改今字作姤非雜卦傳遘遇也唐石經同尚未改盡
可以證全經之誤說文遘遇也从辵冓聲蓋亦從易
古文顧氏炎武反謂石經雜卦遘字爲譌殊爲失攷
章懷太子注後漢書魯恭傳云姤本多作后古字通
據此則漢易亦有作后者

女壯勿用取女

釋文出用娶云本亦作　取下同考文引古本作娶案今注疏本作取取古文

初六繫亏金柅

釋文云柅廣雅云止也說文作檷云絡絲趺也讀若昵王肅作抳從手子夏作鑈蜀才作尼止也案陰閎道周易新傳疏云蒼頡篇柅作檷柎檷也說文字林云檷絡絲趺也字或作鑈　吕女指反絡絲之器今關西謂之絡垛梁益之間謂之絲登其下柎卽柅也今攷說文木部尿下有重文柅云籆柄也方言籆榱也郭

璞注云所以絡絲據此檷柅葢同物今本說文檷云讀若柅古从爾从尼之字同音通用毛詩飲餞于禰韓詩作坭書典祀無豐于昵釋文引馬云昵考也謂禰廟是其證也先儒皆以柅爲絡絲柎會通引荀注亦謂絲繫于柅猶女繫于男獨馬君謂柅在車下爲異義然據此可知古文作柅不作檷故馬得歧其說耳太平御覽八百二十五引易作抳卽用王肅本抳者柅之譌也說文繫繫⿰糸虒也一曰惡絜繫者牽離惡絜之義與柅義尤切象傳牽字卽釋繫字若訓爲維係則字當作係係與隨坎同不當獨作繫也此字古文

實作繫非係之借字俗乃假係釋之
貞吉有攸往見凶羸豕孚蹢躅
釋文云羸劣隨反王肅同鄭力追反陸讀爲累晁氏
云鄭作虆案此亦謂鄭讀爲虆耳與井彖同陸氏不
言鄭異字蹢今本作蹢釋文云蹢一本作躑古文作
蹢躅本亦作躅古文作蹝案說文作蹢躅李善別賦
注引說文蹢躅住足也蹢者蹢之緐變後人通用蹢
字躑躅蹝皆蹢躅之異體文選鸚鵡賦注引辟君韓
詩章句云踟蹰躑躅也三年問蹢躅爲釋文作蹢躅
荀子禮論作躑躅皆經典通用之字惠刻集解改作

蹢躅蹢正字躅則正始之古文不足據也

九二苞有魚

今本作包釋文云包本亦作庖同白交反下同鄭百交反虞云白茅苞之（據虞引詩苞字知虞易亦作苞後人因改經文作包遂併虞注比而同之矣今集解亦改詩苞字爲包）荀作胞案鄭音百交反則訓爲苞裹之苞禮曲禮苞苴簞笥問人者鄭君云裹魚肉者也或以葦或以茅據此則苞有魚正與禮注相合苞庖古通周禮庖人鄭君云庖之言苞也裹肉曰苞苴繫辭包犧氏釋文云本又作庖虞翻云或以苞爲庖廚案項安世玩辭引子夏作庖荀君亦以爲庖廚而破字爲胞胞庖

也禮祭統胞者肉吏之賤者也列子楊朱篇胞廚之
下釋文云胞本作庖莊子養生主篇庖丁釋文云庖
本作胞是胞亦庖也王弼注云初自樂來應已之廚
非爲犯奪正義遂直疏經文爲庖字

无咎不利賓九三臀无膚其行䞣且

今本作次且

厲无大咎九四苞无魚

郭京作失魚案王弼注云二有其魚故失之也蓋以
失字釋无非本作失字孔疏亦作无

起凶九五以杞苞瓜

今本作包釋文云包白交反子夏作苞馬鄭百交反
瓜音工花反案釋文言馬鄭百交反承上子夏作苞
而言讀包爲庖則在並母故音白交反苞在幫母故
音百交反晁謂馬鄭讀爲庖顯與釋文不合晁說誤
也集解本作苞虞注亦同陸氏謂子夏作苞而正義
則謂子夏傳作杞匏瓜攷趙汝楳易輯聞引子夏傳
未嘗作匏瓜豈孔氏所見本異耶王弼讀包爲匏正
義遂直疏作匏薛虞記云杞性柔刃宜屈橈似匏瓜
晁氏云張弧作匏匏瓜星名皆異義太元達次三蒼
木維流厥美可以達于瓜苞卽本此經而司馬氏謂

苞與匏同葢亦用注疏之義以舉正作似誤

含章有隕自天上九講其角吝无咎

說文隕從高下也易曰有隕自天

䷬萃

今本萃下有亨字釋文云亨王肅本同馬鄭陸虞等並無此字晁氏云王昭素謂當无此字案集解引鄭云上下相應有事而和通故曰萃亨此萃字衍文有事而和通乃釋下文亨利貞之字亦猶居正應五釋利貞二字而在利見大人之上也傳寫者見今本作萃亨遂于鄭注亨上誤增萃字而不知與釋文不合

也項安世謂卦名原無亨字獨王肅本有王弼遂用其說孔子彖傳初不及此字程子亦謂亨字衍文集解引虞翻云艮爲廟體觀亨祀故通是李氏所見虞本有亨字

王假有廟利見大人亨利貞用大牲吉利有攸往利巾

有孚不終乃亂乃萃若號

釋文云若號絕句戶報反馬鄭王肅王廙戶羔反晁氏云虞爲號令鄭王爲號咷

一握爲笑

釋文云握傳氏作渥鄭云握當讀爲夫三爲屋之屋

蜀才同案鄭注周禮小司徒引司馬注云夫三爲屋
疏云屋具也詩夏屋箋云屋具也疏云釋言文今釋
言作渥具也周禮巾車云組總有握釋文云握劉音
屋握屋葢同字惠氏棟云戰國策堯無三夫之分三
夫爲一屋也坤爲衆三爻一屋之象人三亦爲衆朱
子本義訓握爲衆即本康成

勿恤往无咎帀二引吉无咎孚乃利用禴
釋文禴殷春祭名馬王肅同鄭云夏祭名蜀才作躍
劉作爚孫氏堂云集韻爚弋灼切音藥本作礿夏時
祭也同禴案說文礿夏祭也禴者礿之異文爚又禴

之別體馬據王制鄭據周禮與許同蜀才作躍異義
卬三萃如𡗹如
今本作嗟據荀易當作𡗹
无攸秎徃无咎小吝九四大吉无咎九㐅萃有位无咎
匪孚元永貞悔亾上卬齎咨涕洟无咎
釋文云齎咨嗟歎之辭也鄭同馬云悲聲怨聲案集
解引虞翻云齎持資賻也貨財喪稱賻坤為財巽為
進故齎資也古資咨同物尚書小民惟曰怨咨禮緇
衣作怨資是也特以資為財賻為異義耳晁氏云陸
希聲作資才也與虞同惠刻集解改咨為資乃並荀

注而亦改之殊失其實慧琳一切經音義三十亦引
易作齎咨涕洟

䷭昇

今本作升釋文云鄭本作昇馬云高也案馬注承上
昇字而言盖馬本亦作昇孫氏堂輯馬易作昇得之
說文新附有昇字玉篇昇式陵切或升字廣韻昇日
上本亦作升馬鄭作昇盖費氏所據古文已如此作

元亯用見大人

釋文云用見本或作利見

勿恤南征吉初六允昇大吉

說文䊨進也从本从屮允易曰䊨升大吉案朱震漢上易傳引施讐易作䊨進也施讐孟喜同受易于碭田王孫蓋皆用今文古文則作允省其義仍爲進也與晉六三衆允同

九二孚乃利用禴无咎九三昇虛邑六四王用亯于岐山

釋文云亯許庚反通也馬鄭陸王肅許兩反馬云祭也鄭云獻也乾鑿度作享俗字說文郊周文王所封在右扶風美陽中水鄉从邑支聲岐郊或从山支聲因岐山以名之也案漢書匈奴傳注云郊古岐字今

經典通用岐元應衆經音義九云岐古文𡶇𧻜二形

吉无咎中𠄡貞吉昇階上中冪昇秎亏不息㞢貞

䷮困亯貞大人吉无咎有言不信初中臀困亏株木

入亏幽谷三歲不儥

今本作覿說文儥見也从人賣聲儥即覿字繇釋載

視睦後碑及張遷碑竝有覿字覿繇變今則覿行而

儥廢矣

九二困亏酒食朱紱方來

今本作紱說文市韠也韍篆文市从韋从犮俗作紱

案篆文即籀文謂大篆也韍爲篆文則市爲古文漢

時以紱易韍爲通行之字非孔子所謂古文也士冠禮疏引鄭易注正作韍引乾鑿度亦作韍今本乾鑿度朱韍赤韍俱作紱葢後人從俗改之

礿用亯祀

今本作享釋文云享許兩反今釋文亦誤刻作享若作亯則無須音矣士冠禮疏亦引易改享祀

征凶无咎巾三困亐石據亐疾黎

今本作蒺藜說文薺疾黎也疾黎字不从艸襄二十五年左氏傳引易亦作蒺藜經典逼加艸作蒺藜案韓詩外傳六作據疾疾黎古文

人亏其宮不見其妻凶九四來徐徐
釋文云徐徐疑懼皃馬云安行皃子夏作荼荼翟同
荼音圖云內不定之意王肅作余余案荼徐余皆安
舒之意李巡注爾雅釋天釋地徐余皆訓爲舒釋文
云余本作舒荀子楊倞注云荼古舒字莊子應帝王
篇其卧徐徐司馬彪注云徐徐安隱皃馬訓安行葢
字義如此最得象數處困之道必從容以俟不可迫
于求逼迫于求逼祇益其困耳與九五乃徐有說之
徐正同爾雅釋草荅接余釋文云余本作荼皆與徐
同聲同義惠刻集解改徐爲荼

困于金輿

今本作金車釋文云金車本亦作金輿

吝有終九五劓刖

釋文云荀王肅本劓刖作臲鼿云不安皃陸同鄭云劓刖當爲倪伔京作劓劊案徐鍇說文槷鼿不安也从臬出聲引易曰劓鼿困于赤芾劓鼿二字與釋文合而陸氏暨徐鍇則同以爲上六爻辭蓋孟氏今文九五上六同作劓鼿故稱引輒相混耳鄭云劓刖當爲倪伔蓋文從古而義從今荀則直據上六改爲臲鼿非費氏之舊矣乾鑿度云至于九五劓刖者不安也

此鄭注所本賁以象傳釋經傳云劓刖志未得也志未得即不安之義劓刖者古文假借字長笛賦巔根跱之槷刖兮李善注云槷刖危皃槷刖即劓刖也

困亏赤韍乃徐有說利用祭祀

釋文云祭祀本亦作享祀案荀注云五爻合同據國當位而主祭祀據此則古本作祭不作享

上六困亏葛藟

釋文藟本又作蘽蘽俗字

亏臲卼

釋文云臲說文作劓牛列反薛同卼說文作[illegible]云[illegible]

不安也薛又作杌字同臬劓劓同字孟氏今文作劓𡴫與九五同故陸氏引之于此劓刖臲卼臲鼿倪仉劓杌劓𡴫易家凡六形古文从月从兀从出之字皆同聲說文跀或从䟣檮杌作檮柮是也此文荀本當亦作臲鼿與九五同臲鼿臲卼俱說文所無蓋古文之異體廣雅臲臲卼卼危也臲字又左右互易迄無定體

曰勦𢃳有𢃳征吉

䷯井

說文丼八家爲一丼象構韓形·甕象也今省·作

井

改邑不改井无喪无得往來井井汔至亦未繘

說文繘綆也𦃇古文𦃇籒文

井羸其瓶凶

釋文云羸蜀才作累鄭讀曰虆說詳大壯說文缾罋也重文瓶云缾或从瓦荀以繘字絕句井字屬下讀

初六井泥不食舊井无禽

集解引崔憬云禽古擒字禽猶獲也王氏引之云易凡言田有禽田无禽皆指獸言之此禽不當有異井當讀爲阱秋官雝氏春令爲阱擭溝瀆之利于民者

秋令塞阱杜擭鄭注云阱穿地為塹所以禦禽獸其
或超踰則陷焉世謂之陷阱舊井湮廢之井淤淺不
足陷獸故曰無禽卦上坎下巽坎為陷巽為入故有
陷阱之象今案王讀井為阱是也初爻在下人所不
用故象舊井據荀君比六五注禽為禽獲則此爻禽
字荀亦當與崔同舊井无禽謂无所禽獲不必定讀
為禽獸之禽

九二井谷射鮒

說文䠶从矢从身射篆文䠶也亦手也今皆用射不
用䠶葢從籒文釋文云射食亦反徐食夜反鄭王肅

皆音亦云厭也荀作耶案厭塞也滿也見楊倞荀子注顏師古漢書注射鮒者言鮒塞滿於井谷之中無與之井故生鮒也若讀爲射取之射則鮒在井谷無由射取不得援淮南子天子射魚爲證荀本作耶耶與射同音或取字之誤左思吳都賦云雖復臨河而釣鯉無異射鮒於井谷蓋從俗讀食夜反

罋敝漏

今本作甕釋文云甕屋送反李於鐘反鄭作甕云停水器也說文作罋汲缾也案釋文既出甕則不應復舉鄭作甕雅雨堂本改所出之甕字爲雍而何氏訂

詁謂鄭作瓦不知所據說文有甕無罋罋者緐變之字音訓所引釋文俱同此誤今從說文作甕太平御覽器物部引作罋弊漏晁氏云漏陸希聲作屢藉也

九三井渫不食爲我心惻可用汲王明並受其福

史記屈原傳用作以可用汲王明爲句傳文求字卽釋汲字也並今作並說文並併也鄭注儀禮云今文並皆爲併緐變作並王氏引之據嵩山大室神道石闕銘並天四海以並爲普之假字

六四井甃无咎

說文甃井壁也从瓦秋聲今作甃馬云爲瓦裏下達

上也

九五井冽寒泉食

冽本或作洌誤說文洌水清也从水列聲易曰井洌寒泉食案玉篇水部及御覽居處部引易俱無食字

上六井收勿幕

釋文云收徐詩救反又如字馬云汲也陸云井幹也荀作甃案收者汲井之具即虞翻所謂鹿盧收繘者也井之汲謂之收亦猶車之軫謂之收皆收斂之義

釋文云勿干本作网通字

有孚元吉

䷰革己日乃孚

己先儒俱讀爲巳竟之巳荀注六二亦然顧氏日知錄引朱子發之說以爲戊己之己革之己日猶蠱巽之庚甲其義爲長

元亯利貞悔亾初九鞏用黃牛㞢革

說文鞏目韋束也易曰鞏用黃牛之革从革巩聲俗作鞏

六二己日乃革㞢征吉无咎九三征凶貞厲革言三就

有孚九四悔亾有孚改命吉九五大人虎變

晁氏云變京作辨下同辨古變字

未占有孚上巾君子豹變小人革面征凶居貞吉

䷱鼎

說文鼎三足兩耳和五味之寶器也象析木以炊貞省聲易卦巽木於下者爲鼎古文㠯貝爲鼎籒文㠯鼎爲貝二貝字小徐本作貞今從段注本案九經字樣云易鼎卦巽下離上巽爲木離爲火篆文朩如此析之兩向左爲爿右爲片今皆作鼎云象耳足形誤也今謂以卦畫言之實有鼎象初⚋象足五⚋象口上⚊象鉉彖傳鼎象也卽謂卦象與頤噬嗑等卦取象正同鄭君以木火取

義兼互體乾金兌澤言之九家易同

元吉亯

程子易傳朱子本義皆以吉爲衍文案易中四德有

分隔言之者如恒亨无咎利貞與此彖是也

初六鼎顛止

今本作趾

利出否得妾㠯其子无咎九二鼎有實我仇有疾不我

能卽吉

攷文引古本作不能我卽吉

九三鼎耳革其行塞雉膏不食方雨虧悔終吉九四鼎

折足覆公餗

釋文云餗馬云健也鄭云菜也案說文鬻鼎實惟葦及蒲陳留謂健爲鬻許兼馬鄭二義而言重文餗云鬻或从食束鄭易用餗餗亦古文博古圖有宋公䜌餗鼎詩韓奕疏引鄭易注作䔧蓋緣經文比而同之天官醢人疏引則作餗繫辭之餗釋文謂馬作粥案說文鬻健也與鬻字形聲義三者俱近當卽鬻之誤字

其刑剭凶

今本作形渥釋文云渥鄭作剭案鄭注周禮司烜氏

屋誅云屋讀如其刑剭之剭疏引鄭云鼎三足三公
象若三公傾覆王之美道屋中刑之今司烜疏引經
文作其刑屋醢人疏引經文作其刑渥屋渥二字皆
非鄭君古本晁氏云九家京荀悅虞一行陸希聲俱
作刑剭薛云古文作渥今集解俱改九家虞本剭為
渥與晁氏不合漢書敘傳云彤落洪支底剭重臣新
唐書元載贊亦用刑剭從古易也本義亦讀如之形
者刑之假字高彪碑形不妄濫以形為刑渥剭亦同
音相借戰國策顏斶曰無功而受其祿者禍必握握
亦當讀為剭猶鄭讀一握之為屋也

中㐅鼎黃耳
藝文類聚九十九引歸藏易云鼎有黃耳利取鮔鯉
金鉉秎貞上九鼎王鉉大吉无不秎
釋文云鉉玄典反徐又古玄反又古冥反一音古螢
反馬云鉉扛鼎而舉之也說文鼎部鼏目木橫毌鼎
耳舉之从鼎冂聲周禮廟門容大鼏七箇即易玉鉉
大吉也金部鉉所以舉鼎也从金玄聲易謂之鉉禮
謂之鼏案今攷工記作大扃七箇扃即鼏字音古熒
切儀禮扃鼏對舉鄭注皆云今文扃為鉉古文鼏為
密鼏从冖聲莫狄切與鼏截然二物許所見禮經以

鼏爲鉉故曰易謂之鉉禮謂之鼏鄭所見禮經以扃
爲鉉故曰今文扃爲鉉也鼏扃鉉皆同字今北人皆
謂門關爲門鉉讀如東山切說文鍵鉉也然則扛鼎
謂之鉉鍵門亦謂之鉉故古文借扃爲之段氏玉裁
王氏念孫桂氏馥皆謂說文鼏鼏二字脫其一

䷲震言震來虩虩

釋文云虩虩馬云恐懼皃鄭同荀作愬愬說見履九
四

笑言啞啞

釋文云言亦作語下同案元應衆經音義卷六卷廿

二引作語易林无妄之履啞啞笑語亦作語后經初
刻作語後改作言象傳同說文啞笑也引易曰笑言
啞啞與今本同胡氏煦謂震來虩虩笑言啞啞古文
无此句象傳震來虩虩四句亦是象傳初爻錯簡今
案釋文所據諸家之易不言此爲錯簡

震驚百里不喪匕鬯

說文鬯从凵凵器也中象米匕所以扱之易曰不喪
匕鬯喪或作喪俗體喪从哭亾會意

初九震來虩虩後笑言啞啞吉

本或無後字葢據象文刪之也

巾二震來厲億喪貝
釋文云億本又作噫同於其反辭也六五同鄭於力反云十万曰億案噫億同字禮記文王世子億可以爲之也釋文云億本作噫說文億安也鄭謂十万曰億蓋假億爲意梁氏玉繩云億喪貝乃倒文與莊子在宥篇萬有餘喪同一句法五爻億无喪有事亦然釋文云貝荀音敗羣經音辯引荀注云貝覆也集韻敗古文作貝
躋于九陵
釋文云躋本又作隮隮俗字

勿逐七日得中三震蘇蘇震行无眚九四震隊泥

今本作遂釋文云遂荀本作隊漢上易傳引作隧案楊倞注荀子禮論篇云隊古墜字說文隊從高隊也俗增土作墜亦或作隧列子矢隧地而塵不揚殷氏釋文云隧音墜論語未墜於地石經殘碑作隧中常侍樊安碑俾不失隧魏橫海將軍呂君碑大命隕隧皆以隧爲隊今從釋文作隊隊正字也

中五震往來厲億无喪有事上中震索索視矍矍征凶震不于其躬于其鄰无咎昏冓有言

今本作婚媾

䷳艮其背不獲其身行其庭不見其人无咎初六艮
其止
今本作趾釋文云趾荀作止
无咎利永貞六二艮其腓
釋文云腓本又作肥義與咸卦同案作肥者謂荀易
也
不拯其隨
釋文作承云音拯救之拯馬云舉也陸氏引馬注承
上拯字而言孫氏堂輯馬易據漢上易傳作拼與釋
文不合案晁氏云孟京王陸績作承一行作拼拼承

皆今文易也黃氏韻會引易作掾說見明夷六三

其心不快九三艮其限

說文艮很也从匕目匕目猶目相匕不相下也易曰

艮其限鄭云艮之言很也與許義同

列其夤

晁氏云列孟一行作裂案虞翻亦作裂葢今文也釋

文云夤引眞反馬云夾脊肉也鄭本作䏰徐又音胤

荀作腎云互體有坎坎爲腎案夤者胂之假字說文

胂夾脊肉也與馬義同䏰卽胂之或體非必定爲夤

誤玉篇䏰脊肉晁氏云孟京一行作䏰䏰亦胂之或

體玉篇廣韻俱云胂夾脊肉也廣韻胂音胤與徐邈夤音同廣雅胂謂之脢咸釋文云胂以人反與夤音亦同禮記月令注云寅引也齊語注云引申也三字益同音相借荀作腎亦音借字韓詩外傳二引易亦作列其夤

厲熏心

今本作薰漢上易傳云薰孟喜京房馬融王肅皆作熏釋文云薰許云反荀作動云互體有震震爲動晁氏云虞作閽云艮爲閽閽守門人坎盜動門故厲閽心古閽作熏字馬因言熏灼其心未聞易道以坎水

熏灼人也荀氏以熏爲勲或誤作動皆非也今據虞氏之說則古易作熏虞讀爲閽荀易作勲而或作動耳陸氏乃以或本移之荀氏殊誤熏薰勲閽古字皆通漢書百官公卿表注引如言云勲之言閽也是勲亦爲閽夏承碑策薰著于王家是勲亦爲薰演連珠注引字書云薰火煙上出也是薰亦爲熏荀虞蓋以通假之字易古文也韓詩外傳引厲作危據象傳改

巾四艮其身无咎巾区艮其輔言有序悔亾

序虞翻作孚集解本亦改孚案序與輔韻孚爲形之譌

上九穀昌吉

䷴漸

說文𨔵進也从辵斬聲古文易假漸爲𨔵人部侵漸

進也卽用古易之漸

女歸吉利貞初六鴻漸亏干小子厲有言无咎六二鴻

漸亏般

今本作磐史記孝武紀封禪書漢書郊祀志俱作鴻

漸于般孟康云般水涯堆也案釋文引馬云山中磐

紆則字當作般般紆卽般辟說文般辟也磐字後出

說文所無

飲食衎衎吉九三鴻漸于陸夫征不復婦孕不育
釋文云孕以證反鄭云猶娠也荀作乘惠氏棟云管
子五行篇羸婦不銷弃楊倞注云羸古孕字乘與羸
聲近今案廣雅乘二也乘之爲孕猶重之爲身謂重
身也廣韻乘羸俱音食證切乘當爲羸之異體晁氏
云乘古文
凶利禦寇六四鴻漸于木或得其桷无咎九五鴻漸于
陵婦三歲不孕
孕字荀亦當作乘
終莫之勝吉上九鴻漸于陸

宋胡氏瑗改陸爲逵顧氏謂其說出于毗陵從事范諤昌程子朱子皆從其說先儒頗不然之劉牧易象鉤深圖云三居艮卦之上上居巽卦之上是南北二陸也孔氏廣森亦以陸指南北而言今案三上皆爲天位故俱取象于陸陸天陸也天陸猶天衢王氏引之謂陸爲阿字之譌謹案以陸爲阿折中之說也

其羽可用爲儀吉

䷵歸妹征凶无攸利初九歸妹以娣跛能履征吉九二眇能視利幽人之貞

晁氏云子夏傳作利幽人貞無之字

六三歸妹以須

釋文云須荀陸作嬬陸云妾也晁氏云子夏孟京作嬬媵之妾古文作須一行云須亦賤女也天文有須女今案須娣對文說文嬃女字也賈侍中說楚人謂姊爲嬃娣女弟也言歸妹以姊其位未當故反歸以其娣行若作嬬則訓下妻與娣一義爲不辭矣周禮冢宰疏引鄭注云須才智之稱天文有須女屈原之姊名女須詩桑扈正義引此注及鄭志荅冷剛俱作屈原之妹盇字誤與說文合楚辭王逸注水經注引袁山松皆以女嬃爲屈原之姊至顏師古注漢書始以嬃爲妹與誤本鄭注同一行以須爲

賤女非是須者嬃之假字

反歸𠂤娣九四歸妹愆期遲歸有時

王氏念孫云時當讀爲待象傳有待而行釋文云一本待作時二字㕘互相假借隱七年穀梁傳范注引此作遲歸有待案今注疏本作時竊以象傳以待字釋遲字非時之假借陸注云遲待也

六五帝乙歸妹其君之袂不如其娣之袂良月既望吉

既今本作幾釋文云幾荀作既說見小畜上九

上六女承匡无實

今本作筐釋文云筐鄭本作匡說文匡飯器筥也从

匚𡉚聲重文筐云匡或从竹太元從次四鳴從不臧
有女承其血匡卽用易文歸藏歸妹作承筐
士刲羊无衁
晁氏云刲或作搓作刲案說文刲刺也从刀圭聲易
曰士刲羊盎今古文同
无攸利
䷶豐
釋文云豐依字作豐今並三直畫猶是變體若曲下
作者禮字耳非也世人亂之久矣鄭云豐之言腆充
滿意也今案鄭君大射注云豐其爲字从豆曲聲鄭

時當有𡴀字說文豐豆之豐滿也从豆象形𧯷古文

豐古文既从𡴀則當爲丰聲戴侗唐本說文作从豆

从山丰聲錢氏大昭有𡴀字古瓦據此可知古文有

丰字也

亯王假之勿憂宜日中

中論爵祿篇引易曰豐亨無咎王格之勿憂宜日中

身尊居易之謂也所引多无咎二字假作格與諸家

不同

初九遇其妃主

今本作配釋文云配鄭作妃云嘉耦曰妃孫氏堂云

古配字多作妃衛風氓詩序喪其妃耦妃讀爲配大雅皇矣篇正義引某氏曰天立厥妃毛本妃作配左氏文十四年傳子叔姬妃齊昭公彼釋文云妃本亦作配又昭九年傳妃以五成妃亦音配案禮曲禮天子之妃曰配鄭注云妃配也二字音義皆同晁氏云妃古文漢上易傳引孟亦作妃與鄭同

雖旬无咎

釋文云旬均也荀作均劉昞作鈞案詩有客正義引鄭注云初修禮上朝四四以匹敵恩厚待之雖留十日不爲咎正以十日者朝聘之禮止于主國以爲限

聘禮畢歸大禮曰旬而稍旬之外爲稍久畱非常據此則鄭本作旬荀乃破字爲均案均旬古同音同義周禮均人公旬注云旬均也爾雅釋言徇徧也釋文云樊本作徇郭音巡釋言又云洵均也禮內則旬而見鄭注云旬當爲均聲之誤也說卦傳坤爲均亦或作旬與此正同晁氏云旬古文均字

徃有尚中二豐其蔀

今本作蔀釋文云蔀音部王廙同蒲戶反王肅普苟反略例云大暗謂之蔀馬云蔀小也鄭薛作菩云小席案說文蔀艸也菩艸可以爲席蔀今字

日中見斗

釋文云斗孟作主案斗主古同音同義書帝命驗黃曰神斗宋衷注云斗主也周禮鬯人大喪之大渳設斗釋文云斗音主詩酌以大斗釋文亦云徐音主今案虞翻易作斗今文家亦不盡從其說也

徃得疑疾有孚發若吉九三豐其芾

今本作沛釋文云沛本又作斾謂幡幔也姚云滂沛也子夏作芾傳云小也鄭干作芾云祭祀之蔽膝晁氏云陸希聲作芾近又作昁孫氏堂云芾說文作市云韠也上古衣蔽前而已市以象之案鐘鼎欵識周

宰辟父敦朱市字皆作帝是芾亦古字也詩采菽篇
赤芾在股箋云芾太古蔽膝之象與此正同今案說
文市韠字而玉篇甫味切云蔽市小貌卽毛詩之蔽
芾也張遷碑作蔽沛甘棠市芾沛三字古盖通用王
弼以沛爲幡幔而讀爲旆後人則直據之以改旆矣

日中見昧

今本作沬釋文云沬微昧之光也字林作昧亡太反
云斗杓後星王肅云音妹鄭作昧服虔云日中而昏
也子夏傳云昧星之小者馬同薛云輔星也晁氏云
馬同薛九家同字林虞同子夏今集解本引虞翻九

家俱改作沫

折其右肱

釋文云肱姚作股案儀禮覲禮疏引鄭注云三艮爻艮爲手互體爲巽巽又爲進退手而便于進退右肱也據此則鄭本作肱

无咎九四豐其菩

今本作蔀據六二釋文正下菩字同

日中見斗遇其夷主吉六五來章有慶譽吉上六豐其屋

釋文云豐說文作寷云大屋也汗簡引古周易同案

此說文引經以證某字之从某而明其義者也宀屋也豐大也寷从宀豐故訓爲大屋引易者以證从豐之義非易本作寷也汗簡葢沿其誤淮南子泰族訓論衡藝增篇俱引作豐其屋後漢書蔡邕傳釋誨云欲豐其屋乃蔀其家蔡從三家其文亦作豐此足爲孟易之確證

菩其家闚其戶

淮南子論衡作窺其戶

闃其无人

釋文云闃馬鄭云无人皃字林云靜也姚作閴孟作

窒並逼案說文有閴窒無閴窒寏也寏謂塡寏窒其无人謂塡寏其戶無人居也許君以窒與閴爲一字故收窒不收閴作窒者孟氏本也惠氏棟以閴爲閴之誤字張有復古編云狊俗作閴靜也从門狊非古義當只用狊字淮南子論衡何休公羊注俱引作閴

三歲不儥凶

儥今本作覿

䷷旅

釋文云旅羈旅也王肅等以爲軍旅案王說妄也坤鑿度云孔子生不知易本偶筮其命得旅請益於商瞿氏曰子有聖智而無位孔子泣而曰天也命也此

七十子相傳之舊說與雜卦傳親寡旅也正合

小亯旅貞吉初六旅瑣瑣

釋文云瑣或作璅字者非也鄭云瑣瑣小也馬云疲弊皃古本皆作瑣不作璅惠氏棟云瑣古音厜與惢韻說文惢讀若易旅瑣瑣惢讀爲瑣是瑣有惢音也惢本音厜顧氏易音不及此

斯其所取裁

王弼以斯爲斯賤之役郭京謂合作㒋案後漢左雄傳職斯祿薄注云斯賤也則斯與㒋同字古易本作斯而王讀爲㒋覲聘禮疏引鄭注則其所以得罪正

以則字釋斯字或以斯其所爲句爾雅斯離也斯其

所謂離其所㦰今本作災據復上中改正㦰古文災

籀文

六二旅即次懷其資

釋文云本或作懷其資斧非

得童僕貞

童集解本作僮

九三旅焚其次喪其童僕

音訓云喪今本作喪卦內及下卦並同

貞厲九四旅于處得其資斧

今本作資斧釋文云資斧子夏傳及眾家並作齊斧張軌云齊斧葢黃鉞斧也張晏云整齊也應劭云齊利也虞喜志林云齊當作齋齋戒入廟而受斧下卦同案齊資同字考工記或通四方之珍異以資之鄭司農云故書資作齊聘禮問幾月之資鄭注云古文資作齎齎亦與齊同蔡邕黃鉞銘齊斧罔克又太尉橋公碑亦用齊斧葢三家經與古文同也虞翻易亦作齊斧據巽上九注可知集解改資失其實

我心不快六五射雉一矢亾終㠯譽命上九鳥焚其巢旅人先笑後號咷

攷文引古本後上衍而字

喪牛亐易凶

䷸顨

今本作巽說文巺具也从丌己聲𢁉古文巺巽篆文顨巺也从丌从頭此易顨卦爲長女爲風者案巺顨相亂已久許君特爲分別言之易之卦名作顨若巺則爲卦德故曰顨巺也與乾健坤順同例後人借卦德爲卦名於是巺行而顨廢矣許君所見古文本葢作顨不作巺

小亯利有攸往利見大人初中維復利武人之貞九二

顨扗牀下用史巫紛若吉无咎九三顰顨吝

今本作頻考文引古本作嚬釋文云頻顣此同鄭意

案鄭以爲頻顣則字當同復六三作顰說見復卦

六四悔亾田獲三品九五貞吉悔亾无不利无初有終

先庚三日後庚三日吉上九顨扗牀下喪其資斧貞凶

漢書王莽傳司徒尋初發長安亾其黃鉞尋士房揚

素狂直迺哭曰此經所謂喪其齊斧者也漢易葢皆

作齊

䷹兌亯利貞初九和兌吉九二孚兌

攷文引古本孚兌作孚說

吉㝵亾中三來兌凶九四商兌未寍介疾有喜九五孚
于剝有厲上中引兌
䷺渙亯王假有廟利涉大川利貞初中用拯馬壯吉
釋文云丞拯救之拯馬云舉也子夏作抍抍取也說
具明夷六二艮六二考文引古本吉下有悔亡二字
案虞翻云坎爲馬初失正動體大壯得位故拯馬壯
吉悔亡之矣虞易盖有悔亡二字
九二渙奔其机
惠氏棟謂机爲杌古文簋字案說文杌古文簋此机
字當从几作机几與飢聲同故古文叉作𠤳鄭君小

史注云故書簋或為几鄭司農云几讀為軌亦或為簋據此足證說文机之从几不从九矣段氏乃改古文之匭為从食九以牽合机字殊失其實古文簋蓋亦借机木之机為之

悔亾巾三渙其躳无悔巾四渙其羣元吉

呂覽召類篇云易曰渙其羣元吉渙者賢也羣者眾也元者吉之始也渙其羣元吉者其位多賢也說苑奉使篇同此古義也

渙有丠

釋文云丘姚作近惠氏士奇云近古丘字音記詩往

近王舅箋云近讀若彼記之子之記
匪弟所思
今本作夷釋文云夷荀作弟案篆文夷作𡗝弟作夷
二字形近故今文以弟爲夷夷弟二字古亦通用渙
有丘匪弟所思者廣雅邱衆也孟子盡心篇云得乎
邱民而爲天子邱民者衆民也渙有邱者渙有衆也
坤靈圖曰震下乾上无妄天精起鄭君注云起猶立
乾爲天震爲長子天生長子聖人立爲天子天下之
人各得其所也此渙有丘之象渙其羣者上爲賢人
所附渙有丘者下爲民心所歸中互震爲長子長子

守宗廟社稷以爲祭主非庶子所能僭竊故曰匪弟所思虞翻云艮爲弟坎爲思坎上互艮弟思兄位而艮以止之此匪弟所思之象白虎通曰君在立太子者所以防篡殺齊臣子之亂也春秋之義殺太子與殺君同罪故聖人垂其象以戒之

九五渙汗其大號

漢書楚元王傳劉向上封事引易曰渙汗其大號言號令如汗汗出而不反者也今謂渙汗連綿字形容其大杜甫南郊賦云涾沲乎渙汗

渙王居无咎上九渙其血去逖出无咎

本義云逖當作惕與小畜六四同陸氏友文云坎爲血卦逖遠也小象遠害正是以遠釋逖字項氏安世云卦中惟上九一爻去險最遠故其辭如此案虞翻云逖憂也是虞以逖爲惕說文逷爲古文逖書牧誓逖矣西土之人郭注爾雅引逖作逷史記殷本紀毋曰簡狄索隱引舊本作易漢書古今人表作簡逷二字葢今古互易此逖字本作惕後譌爲逷因變作逖血去惕出四字實與小畜同不應彼此互異某氏云古人遇重文多省不書但于字下加二畫以識之傳寫因奪去耳此文當作渙其血血去逖出上血字乃

本字下血字乃恤之假字今案渙其血去惕出爲句象傳隨文增減原無定例小畜傳有孚惕出又截血去二字與此畧同坎傳習坎入坎截去窞字遯傳執用黃牛截去之革二字皆足爲此經之證某說謂脫去重文血者妄也

䷻節亯苦節不可貞初九不出戶庭无咎九二不出門庭凶

考文引古本凶上衍之字豐上六王弼注云不出戶庭失時致凶釋文云此引節九二爻辭應云門庭作戶誤也

巾三不節若斯差若

今本作嗟據離九三釋文則荀易於此經亦當作差

无咎巾四安節亯九五甘節吉往有尙上巾苦節貞凶

悔亾

䷼中孚豚魚吉

釋文云豚黃作遯此爲異義鄭荀皆作豚魚

利涉大川利貞初九虞吉有它不燕

今本作他釋文云它音他葢王本作它

九二鳴鶴在陰其子和㞢

元應衆經音義三引作鳴鶴在渚其子和之

我有好爵吾與爾靡之
釋文云靡本又作縻同亡池反散也干同徐又武寄反又亡彼反韓詩云共也孟同埤蒼作縻云散也陸作縻京作劘案漢上易傳引子夏作縻說文靡披靡也披靡即分散之義言有好爵分散與衆共之也縻縻者靡之借字劘縻今字
六三得敵或鼓或罷或泣或歌六四月既望
今本作幾釋文云幾京作近荀作既晁氏云孟荀一行作既說見小畜上九
馬匹亡无咎九五有孚攣如

此攣字子夏亦應作戀與小畜九五同
无咎上九翰音登亏天貞凶

䷽小過亯秎貞可小事不可大事飛鳥遺㞢音不宐上宐下大吉初六飛鳥㠯凶六二過亓祖遇亓妣不及亓君遇亓臣无咎九三弗過防㞢从或戕㞢凶九四无咎弗過遇㞢徃厲必戒勿用永貞六㐅宻雲不雨自我卥郊公弋取彼在穴上六弗遇過㞢飛鳥離㞢凶是謂𢦏眚

今本作災

䷾旣𣸈亯小

本義云亨小當爲小亨釋文云亨小絕句以小連利貞者非案象傳以亨小爲句或謂小字涉未濟彖辭而衍

利貞初吉終亂初九曳其輪濡其尾无咎六二婦喪其茀

釋文云茀首飾也馬同干云馬髴也鄭云車蔽也子夏作髴荀作紱董作髢晁氏云孟一行虞亦作髴云鬢髮也案詩傳箋以茀爲車蔽坎爲盜爲叢棘爲輿多眚故云喪其茀取象最切若如今文家鬢髮之說則旣喪矣又何以得乎虞謂俗說以茀爲蔽膝藎指

荀君荀本破茀爲紱卽市之俗體也詩采芑朱茀斯
皇釋文云茀本又作芾或作紱二字古甚通假今文
改茀爲髴以爲鬢髮於是董遇本又改爲髢愈失愈
遠不可究詰矣神廟本釋文及經義攷謂董作婦喪
其笄笄髢皆非茀通假之字

勿逐七日得九三高宗伐鬼方三秊克㞢
淮南王諫伐閩越書引易高宗伐鬼方三年而克之
多一而字

小人勿用巾四繻有衣絮
今本作繻有衣袽釋文云繻鄭王肅云音須子夏作

襦王廙同薛云古文作繻袽女居反絲袽也王肅音
如說文作絮云絜緼也廣雅云絮塞也子夏作茹京
作絮晁氏云近文絮作袽又作⿱如衣通用案周禮羅氏
注引鄭司農云襦讀爲繻有衣絮之繻弓人注引鄭
司農云帤讀爲襦有衣絮之絮據此則鄭司農本作
繻作絮其弓人注作襦者乃傳鈔音誤先鄭爲古易
而薛云古文作繻是司農本正作繻也說文繻繒采
色也从糸需聲讀若繻有衣（脫字）絮絜緼也一曰敝絮
也从糸奴聲易曰需有衣絮許所據孟易蓋亦作繻
其作需者亦係傳鈔之誤鄭與許皆幸有兩引足以

訂正陸德明臚列諸家異同獨不言繻字說文作需
葢唐時本尚未誤也說文絜曰敝絮而絮曰敝綿音
義形三者俱近故古文作絜而孟氏今文誤爲絮字
京爲孟易而亦從古文作絜與司農同近儒如段玉
裁陳壽祺反據說文改周禮司農注之絜爲絮而毛
氏六經正誤又改說文之絜爲絮皆爲失實袽茹袽
皆从如爲絮之同音字程朱讀繻爲濡從弼注也

繻曰戒九五東鄰殺牛不如西鄰禴祭
漢書郊祀志引作瀹祭顏師古云瀹祭謂瀹煮新菜
以祭惠氏棟云古文作瀹案詩天保正義引鄭注云

禴夏祭之名

實受其福

梁武帝伐牲詔云西鄰禴祭寔受其福實寔通字

上六濡其首厲

䷿未濟亨小狐汔濟濡其尾

史記春申君傳黃歇說秦昭王引易曰狐涉水濡其尾言始之易終之難也秦策作狐濡其尾韓詩外傳云官怠于宦成病加于小愈禍生于懈惰孝衰于妻子察此四者慎終如始易曰小狐汔濟濡其尾郭璞洞林云小狐汔濟垂尾累裴初雖偷安終靡所依皆

傳所謂不續終也

无攸利初六濡其尾吝九二曳其輪貞吉六三未濟征

凶利涉大川

本義云或疑利上有不字妄也荀注云未濟者未成

也女在外男在內婚姻未成征上從四則凶利下從

坎故利涉大川矣

九四貞吉悔亡震用伐鬼方

晁氏云震漢名臣奏作祗震祗古通用后經盤庚曷

祗動萬民以遷今書作震曾世家毋逸治民震懼今

書作祗祗震敬三字皆通故孟京虞一行皆以震爲

敬據此足知謂震爲摯伯名者妄也

三季有賞亐大國巾五貞吉无悔君孚𡳿光有孚吉上

九有孚亐飮𨡓无咎濡其首有孚夫是

費氏古易訂文卷二終

鎭南劉樾正字

華陽馮廉覆勘

資陽伍鋆斠刻

# 費氏古易訂文卷三

新城王樹枏

彖上

音訓云自大哉乾元以下彖之傳也鄭康成合彖象於經故加彖曰象曰以別之諸卦皆然今從晁呂諸家以復費氏之舊孔氏穎達謂鄭學之徒數十翼云上彖一下彖二上象三下象四上繫五下繫六文言七說卦八序卦九雜卦十今注疏本自繫辭以下皆費氏之舊釋文云王肅本有傳字案傳字亦後人所加後人以上下篇爲經故以孔子十翼之文爲傳經

傳之名皆易家所立非古易本如此也鄭君數十翼
不言有傳字
大哉乾元萬物資始乃統天雲行雨施品物流形大明
終始六位時成時乘六龍㠯御天
明人或謂大明終始三句在乃利貞下
乾道變化各正性命保合大和乃利貞首出庶物萬國
咸寍
至哉巛元萬物資生乃順承天巛垕載物德合无疆
釋文云疆或作壃下同案說文疆為畺之或字今經
典通用疆鮮用畺者壃為疆之省鐘鼎文多省土為疆

含弘灮大品物咸亯牝馬坔類行坔无彊柔順秎貞君
子攸行先迷失道後順得常西南得朋乃與類行東北
喪朋乃終有慶安貞㞢吉應坔无彊
屯剛柔始交而難生動乎險中
劉修碑作動乎儉中儉險古通用否象傳君子以儉
德辟難虞注云儉或作險是其證也
大亯貞靁雨㞢動滿形
今本作滿盈案集解引荀注云雷震雨潤則萬物滿
形而生也虞翻本亦作形云坤爲形惠刻集解據荀
虞改盈爲形

天詁萛昧

案草爲早之假字

宐建矦而不寍

釋文云鄭讀而曰能能猶安也謂建侯所以安不寍

者也

蒙山下有險險而止蒙

明晉府古本作險而能止

蒙亯目亯行

明晉府古本無以亨二字

得時中也

今本無得字攷文引古本足利本作得時中也案荀君云二一進居三三降居二二剛柔得中故能通發蒙時令得時中矣又王弼注云時之所願惟願亨也以亨行之得時中也據此則荀王本俱有得字校勘記云一本也作矣

匪我求童蒙童蒙來求我

今本無來字釋文云求我一本作來求我案古本俱有來字據經文增

志應也初筮告以剛中也再三瀆瀆則不告瀆蒙也蒙以養正聖功也

需須屯

說文需頚也須爲頚之假字

險扗肯屯

今隸作前蓋以葪爲之

剛健而不䧟其義不困窮矣需有孚光亨貞吉位乎天

位

釋文位乎鄭音涖畢氏沅云古涖字作埭亦通用位

乎石經作于乎于古通字論語爲政篇孝乎惟孝釋

文及石經竝作于列子黃帝篇今女之鄙至此乎釋

文云乎本又作于莊子人間世篇不爲社者且幾有

翦乎釋文云乎崔本作于二字聲義皆同

㠯正中也利涉大川往有功也

訟上剛下險險而健訟訟有孚窒惕中吉

今本作窒據馬鄭經文改咥

剛來而得中也終凶訟不可成也利見大人尚中正也

不利涉大川入于淵也

師衆也貞正也能㠯衆正可㠯王矣剛中而應行險而

順㠯此毒天下而民從之吉又何咎矣

比吉

今本作比吉也案郭京王昭素俱謂誤增也字本義

云此三字疑衍文而語類則祇云衍也字王氏念孫
李氏惇俱云比吉也也字涉下文比輔也而衍比吉
二字宜在下文原筮之上今從王昭素說刪也字
比輔也下順從也原筮元永貞无咎以剛中也不寧方
來上下應也後夫凶其道窮也
小畜柔得位而上下應之曰小畜健而巽剛中而志行
乃亨密雲不雨尚往也自我西郊施未行也
履柔履剛也說而應乎乾是以履虎尾不噬人亨
今本噬作咥今據鄭本經文改噬
剛中正履帝位而不疚光明也

今本作疢釋文云疢陸本作疾案疢爲疚之或字說
文疚貧病也疚疾古同音字
桼小徃大來吉亯則是天地交而萬物通也上下交而
其志同也內陽而外陰
案陰陽古文作侌昜亦作黔暘經典則通用陰陽字
段氏玉裁云造化侌昜之气本不可象故黔與陰昜
與陽皆假雲日山𨸏以見其意乾坤鑿度謂陰陽古
文作陰陽
內健而外順內君子而外小人君子道長小人道消也
漢書楚元王傳劉向上封事云易有否泰小人道長

君子道消君子道消則政日亂故爲否否者閉而亂
也君子道長小人道消小人道消則政日治故爲泰
泰者通而治也
否之匪人不利君子貞大往小來則是天地不交而萬
物不通也上下不交而天下无邦也內陰而外陽內柔
而外剛內小人而外君子小人道長君子道消也
同人柔得位得中而應乎乾曰同人
此下有同人曰三字王昭素謂此同人曰三字錯見
氏云虞翻輩諸儒无一人爲之說者王弼失之耳本
義亦以此三字爲衍文今案同人曰涉上曰同人三

字而衍晁說是也今刪

同人亏野亯秎涉大川乾行也文明㠯健中正而應君

予正也唯君子爲能通天下㞢志

大有柔得尊位大中而上下應㞢曰大有亓德剛健而

文明應乎天而時行是㠯元亯

謙亯天道下濟而光明地道卑而上行天道毀盈而益

謙

今本作虧盈釋文云虧馬本作毀說苑亦引作毀劉

向以中古文校易與馬合案爾雅虧毀也二字音義

俱同韓詩外傳三亦引作虧

地道變盈而流謙鬼神害盈而福謙

釋文云福京本作富詩召旻箋云富福也釋名云福富也二字同聲同義孫氏堂云古福字作畐與富形相近劉修碑亦云鬼神富謙案後漢書蔡邕傳云天道虧滿鬼神福謙三家文埶亦作福

人道惡盈而好謙

以上四盈字說苑俱作滿

謙尊而光卑而不可踰

王氏引之云尊讀撙節退讓之撙尊之言省也小也光之言廣也大也尊而光者小而大卑而不可踰者

卑而高也書傳每以尊讓連文古無撙字多借尊爲
之劉晝新論誡盈篇云未有謙尊而不光驕盈而不
斃者也以謙尊對驕盈則讀尊爲撙可知論語在邦
必達在家必達馬君注云謙尊而光卑而不可踰誤
以尊卑爲對文
君子㞢終㐌
豫剛應而志行順㠯動豫豫順㠯動故天地如㞢而況
建侯行師乎天地㠯順動故日月不過而四時不忒
釋文云忒京作貸貸者忒之假字禮月令宿離不貸
鄭注云不差忒也又無或差貸呂覽貸作忒古亦假

賁爲忒字洪範衍忒史記作衍賁是也

聖人㠯順動則刑罰清而民服豫㞢時義大矣哉

隨剛來而下柔動而說隨大亨利貞无咎

今本作大亨貞無利字釋文云大亨貞本又作大亨利貞案荀注云震歸從巽故大通動爻得正故利貞陽降陰升嫌於有咎動而得正故无咎王弼注云爲隨而不大通逆於時也相隨而不爲利正災之道也故大通利貞乃得无咎也爲隨而令大通利貞得於時也據此則荀王本俱有利字

而天下隨㞢

今本作隨時釋文云王肅本作隨之王昭素云舊本无此時字乃有之字晁氏云王肅陸績作天下隨之意自可見也本義亦以王肅爲是漢上易傳引胡旦曰王肅本作隨之篆字之爲㞢時爲旹轉𦃃者膌日爲旹案鄭君釋經云震動也兌說也內動之爲德外說之以言則天下之民咸慕其行而隨從之㕘本彖傳爲義

隨㞢時義大矣哉

今本作隨時之義釋文云王肅本作隨之時義晁氏云王肅得之本義亦從王肅案此與上文傳寫互誤

隨之時義與豫之時義文正相同

蠱剛上而柔下巽而止蠱蠱元亨而天下治也利涉大
川往有事也先甲三日後甲三日終則有始天行也

臨剛浸而長

濅桼變作浸

説而順剛中而應大亨以正天之道也至于八月有凶
消不久也

大觀在上順而巽中正以觀天下觀盥而不薦有孚顒
若下觀而化也觀天之神道而四時不忒

石經於觀天之神道下旁添日月不過四字

聖人神謟設敎
今本作以神道設教釋文云神道設教一本作以神
道設教是王弼本無以字音訓云今本有以字惠刻
集解據刪今從釋文
而天下服矣
頤中有物曰噬嗑噬嗑而亨剛柔分動而明雷電合而
章柔得中而上行雖不當位利用獄也
賁亨
本義云亨字疑衍案亨非衍文
柔來而文剛故亨分剛上而文柔故小利有攸往天文

賁

郭京據王弼本天文上有剛柔交錯四字本義亦云

先儒謂天文上當有剛柔交錯四字案王注以剛柔

相錯釋柔來文剛剛上文柔二句耳釋文音訓俱不

言有此四字惠氏棟云宋人偽撰舉正始有此語其

說葢本徐鄭新義

文明㠯止人文賁觀乎天文㠯察時變觀乎人文㠯化

成天下

紤紤賁

舉正作剝剝落也案序卦云剝者剝也則此剝下無

落字明矣郭京妄說

柔變剛也不利有攸往小人長也順而止之觀象也君子尚消息盈虛天行也

復亨剛反動而以順行

毛氏奇齡以剛反動而以順行七字爲句朱昇旁注增也字於反字下謬妄

是以出入无疾朋來无咎反復其道七日來復天行也

利有攸往剛長也復其見天地之心乎

无妄剛自外來而爲主於內動而健

郭京作動而愈健妄增

剛中而應大亯㠯正天㞢命也其匪正有眚不利有攸徃无妄㞢徃何㞢矣天命不右行矣哉

今本作祐釋文作佑云本又作祐馬作右謂天不右行案古本葢作右故馬以天不右行釋之若本作祐佑則馬無緣以右行釋之矣說文右助也與鄭義同

大畜剛健篤實煇光日新

今本作輝釋文作煇后經煇旁火係唐改當是初刻輝後改煇說文煇光也輝俗字釋文云鄭以日新絕句其德連下句惠氏棟據漢書禮樂志煇光日新荆州刺史度尚碑令聞彌崇暉光日新文心雕龍剛健

旣實輝光乃新張華勵志詩進德修業輝光日新錢氏大昕據魏志管輅傳注易言剛健篤實輝光日新張華四箱樂歌濟我王道輝光日新王氏念孫據劉卲人物志光暉煥而日新初學記載晉傳咸周易詩輝光日新照于四方虞翻注離爲日故輝光日新皆以鄭讀爲是新與下正賢天爲韻依王弼讀以日新其德爲句則失其韻矣

其德剛上而尚賢能止健大正也不家食吉養賢也利涉大川應乎天也

頤貞吉養正也觀頤觀其所養也自求口實觀其

自養也天地養萬物聖人養賢㠯及萬民頤㞢時大矣哉

大過大者過也棟橈本末弱也

釋文云弱本亦作溺並依字讀古溺弱二字通用書禹貢導弱水釋文云弱本作溺漢書古今人表陳哀公弱春秋昭八年作溺晁氏云溺古文弱字說文弱橈也即本此爲訓

剛過而中巽而說行利有攸往乃亨大過㞢時大矣哉

習坎重險也水流而不盈行險而不失亓信維心亨乃㠯剛中也行有尚往有功也天險不可升也地險山川

工餞屯王公設險吕守其邦

今本作國集解引虞翻作邦邦與中功升陵韵漢易

避諱改邦爲國

險𡳿時用大昊哉

離麗屯日月麗乎天百穀艸木麗乎土

釋文云麗說文作蘼土王肅本作地案說文蘼艸木

生箸土从艸麗聲易曰百穀艸木蘼於地此亦許例

引經以證某字之从某而明其義者也麗从麗與𡪞

下引𠃍𡪞其屋說𡪞从豐之義正同非易本作蘼作

𡪞也玉篇艸部引易曰百穀草木蘼乎地葢從說文

王肅本土作地與說文同埶今文作地古文作土也
惠琳一切經音義卷二十六二十七亦並引作百穀
草木麗于地晁氏云一行亦作地
重明㠯麗乎正乃化成天下柔麗乎中正故亯是㠯畜
牝牛吉也
張次仲周易玩辭作離麗也柔麗乎中正故亨是以
畜牝牛吉也日月麗乎天百穀草木麗乎土重明以
麗乎正乃化成天下埶以意改訂

費氏古易訂文卷三終

鎮南劉樾正字
華陽馮廉覆勘
資陽伍鋆斠刻

# 費氏古易訂文卷四

新城王樹枏

彖下

咸感也柔上而剛下二氣感應㠯相與止而說男下女是㠯亨利貞取女吉也天地感而萬物化生聖人感人心而天下和平觀其所感而天地萬物之情可見矣

恆久也剛上而柔下雷風相與巽而動剛柔皆應恆恆亨无咎利貞久于其道也天地之道恆久而不已也利有攸往終則有始也日月得天而能久照四時變化而能久成聖人久于其道而天下化成觀其所恆而天地

萬物之情可見矣
遯亨遯而亨也剛當位而應與時行也小利貞浸而長
也遯之時義大矣哉
大壯大者壯也剛以動故壯大壯利貞大者正也正大
而天地之情可見矣
晉進也明出地上順而麗乎大明柔進而上行是以康
侯用錫馬蕃庶晝日三接也
明入地中明夷內文明而外柔順以蒙大難文王以之
今本作以之釋文云鄭荀向作似之下亦然孫氏堂
云漢書高帝紀鄉者夫人兒子皆以君如亨云以或

作似史記作夫人嬰兒皆似君以似逼字

秎艱貞晦亓明也內難而能正亓志箕子以之

家人女正位乎內男正位乎外男女正天坔之大義也

家人有嚴君焉父母之謂也父父子子兄兄弟弟夫夫

婦婦而家道正正家而天下定矣

睽火動而上澤動而下二女同居亓志不同行說而麗

乎明柔進而上行得中而應乎剛是以小事吉天坔睽

而亓事同也男女睽而亓志通也萬物睽而亓事類也

睽之時用大矣哉

蹇難也險在前也見險而能止知矣哉蹇利西南往得

中也不利東北其道窮也

三國志鄧艾傳初艾當伐蜀夢坐山上而有流水以問爰邵邵曰按易卦山上有水曰蹇孔子曰蹇利西南往有功也不利東北其道窮也往必克蜀所引與今本異

利見大人往有功也當位貞吉以正邦也

釋文云正邦荀陸本作正國為漢朝諱案荀注云謂五當尊位正居是羣陰順從故能正邦國據此則荀易亦作邦

蹇之時用大矣哉

觧險㠯動動而免乎險觧觧利西南徃得衆也无所徃
其來復吉
今本脫无所徃三字集解及義海撮要俱有荀注云
陰處尊位陽无所徃也來復居二處中成險故曰復
吉也據此則荀易有无所徃三字
乃得中也有攸徃夙吉徃有功也天地觧而雷雨作雷
雨作而百果艸木皆甲宅
今本作坼釋文云馬陸作宅根也文選蜀都賦百果
甲宅異味同榮李善注引鄭易云木實曰果解讀如
人倦之解解謂坼嘑皮曰甲根曰宅宅居也惠氏棟

云古文宅仛宒坼者宒之壞字馬鄭皆從古文非改坼爲宅王氏引之云宅爲乇之假借說文乇艸葉也𠂹采上毌一下有根象形字乇宅坼古竝同聲故又通作坼惠以坼爲古文宒字之譌非也案惠刻集解改荀注亦作宅

解㞢時大矣哉

損損下益上其道上行損而有孚元吉无咎可貞利有攸往曷㞢用二簋可用亯二簋應有時損剛益柔有時

損益盈虛與時偕行

益損上益下民說无疆自上下下其道大光利有攸往

中正有慶利涉大川木道乃行益動而巽日進无疆天
施地生其益无方凡益之道與時偕行
夬決也剛決柔也健而說決而和揚于王庭柔乘五剛
也孚號有厲其危乃光也告自邑不利即戎所尚乃窮
也利有攸往剛長乃終也
姤遇也柔遇剛也勿用取女
勿用取女舉正作女壯勿用娶
不可與長也天地相遇品物咸章也剛遇中正天下大
行也姤之時義大矣哉
萃聚也順以說剛中而應故聚也

攷文引古本脫也字

王假有廟致孝亯也利見大人亯利貞

今本脫利貞二字舉正據王弼本亯下有利貞二字

案集解引九家易云五以正聚陽故曰利貞虞翻云大人謂五三四失位利之正變成離離爲見故利見大人亯聚以正也是九家虞翻所據易本有利貞二字集解利貞二字在聚以正也之下當是傳鈔者錯誤

聚㠯正也

釋文云聚荀作取晁氏云取古文惠氏棟云漢書五

行志取不違茲謂不知注云取讀爲聚古文省桼古文聚作取此實當作聚與上文一律不應此字獨從省也九家易云五以正聚陽故曰利貞是九家作聚字今從九家

用大牲吉利有攸往順天命也觀其所聚而天地萬物之情可見矣

柔以時升巽而順剛中而應是以大亨用見大人勿恤有慶也南征吉志行也

困剛揜也

釋文云揜本又作掩虞作弇三字古同聲相假王氏

念孫讀爲篤以不揜之揜鄭注云揜猶困迫也惠改
集解及荀注俱作弇
險吕說困而亓夫其所亯其唯君子亏貞大人吉吕剛
中也有言亓信尙口乃窮也
巽亏水而上水井井養而亓窮也改邑亓改井乃吕剛
中也无喪无得往來井井
今本脫无喪无得往來井井八字據集解引荀本增
晁氏云徐氏謂改邑不改井下脫无喪无得往來井
井二句王昭素取其說舉正亦同一說古文作巽乎
水而上水井改邑不改井乃以剛中也无喪无得往

來井井井養而不窮也

汔至亦未繘

攷文引古本脫亦字今本繘下有井字孫氏堂輯荀易刪案井字屬羸其瓶爲句集解亦誤重一井字

未有功也井羸其瓶

集解引荀易作井羸其瓶今本井字屬汔至亦未繘句

是𠱄凶也

革水火相息

晁氏云兌无水象此字必誤案彖辭專論卦德而天

地風雷等彖往往卦中無此彖傳連類及之如豫雷地象也而彖傳以天地日月四時並舉謙地山象也而彖傳以天地並舉離日象也而彖傳以日月並舉坎水象也而彖傳以山川邱陵並舉家人男女象也而彖傳以父子兄弟夫婦並舉諸如此類不可勝數且澤水一字象義本通故彖傳變澤言水亦猶噬嗑之變火言電也自虞氏以旁通言易穿鑿附會以合彖象而易道漓矣釋文云息馬云滅也李斐注漢書同說文作熄息爲熄之假字

二女同居其志不相得曰革己日乃孚革而信也

釋文云一本無之字案干寶注無之字

文明㠯說大亯㠯正革而當其悔乃亾天地革而四時

成湯武革命順乎天而應乎人

白虎通引作湯武革命順乎天而應乎民也

革㞢時大矣哉

鼎象也㠯木巽火亯飪也

今本作亨釋文云亨本又作亯下同此未經隸變之

字說文引易作𦏧飪

聖人亯㠯亯上帝

今本作享上帝享古祇作亯

而大言㠯參聖賢

舉正無而大亨三字

巽而耳目聰明柔進而上行得中而應乎剛是㠯元亨

震亨震來虩虩恐致福也笑言啞啞後有則也震驚百

里驚遠而懼邇也不喪匕鬯

今本脫不喪匕鬯四字王昭素云徐氏謂此下有不喪匕鬯舉正同程子朱子俱從其說晁氏云天禧中范諤昌撰證墜簡其書類郭京舉正如震卦彖辭內云脫不喪匕鬯四字程正叔取之自謂其學出於李處約許堅案御覽一百四十六引王肅注云天子當

乾諸侯用震地不過一同雷不過百里政行百里則

匕鬯亦不喪祭祀國家大事不喪宗廟安矣處則諸

侯執其政出則長子掌其祀集解引干寶云爲諸侯

故主社稷爲長子而爲祭主也祭禮薦陳甚多而經

獨言不喪匕鬯者匕牲體薦鬯酒人君所自親也據

此則王肅干寶俱有不喪匕鬯四字

出可㠯守宗廟社稷㠯爲祭主也

一云古文无出字

艮止也時止則止時行則行動靜不失其時其道光明

艮其背

今本作艮其止晁氏云只當依卦辭作艮其背王弼妄爲之說項安世熊過俱謂古文背字爲北與止形近故譌止案虞翻云艮其背背也兩象相背故不相與也是虞本作背不作止止字涉下止而誤

止其所也上下敵應不相與也是以不獲其身行其庭不見其人无咎也

漸之進也

本義云之字疑衍或是漸字案漸之進猶經否之匪人乃變例非衍誤漸之進也是女歸之吉也二句相承見義王弼誤讀漸字絕句遂啟後人之疑李氏信

云加一之字所以別于晉

女歸吉也

郭京謂也字衍晁氏云虞亦无也字釋文云王肅本還作女歸吉利貞案諸家俱無利貞二字

進得位往有功也進以正可以正邦也其位剛得中也

止而巽動不窮也

歸妹天地之大義也天地不交而萬物不興歸妹人之終始也說以動所歸妹也

釋文云本或作所以歸妹晁氏云作所以非虞王弼皆无案所歸妹也者謂所歸者妹也指兌言

征凶位不當也无攸利柔乘剛也

案大全作歸妹說以動所歸妹也征凶位不當也无攸利柔乘剛也歸妹天地之大義也天地不交而萬物不興歸妹人之終始也

豐大也明以動故豐

林栗蔡杭故豐作故亨案豐當爲亨字之譌

王假之尚大也勿憂宜日中宜照天下也日中則昃

今本作昃釋文作昃云孟作稷案稷爲昃之假字穀梁定十五年日下稷左傳作日下昃范甯注云稷昃也史記趙世家秦昭襄王名稷甘茂傳作側太元應

上九元離之極君子應以大稷范望注云稷側也稷仄二字古甚通用

月盈則食

釋文云食或作蝕非元應衆經音義卷二卷十四引作月盈即蝕

天地盈虛與時消息而況于人乎況于鬼神乎

旅小亨

或謂小亨二字衍文案荀注云謂陰升居五與陽通者也是古本有小亨二字

柔得中乎外而順乎剛止而麗乎明是以小亨旅貞吉

乇於㞢時義大昊哉

重顨㠯申命

顨爲卦名巺爲卦德故重顨字作顨剛巺字作巺今則皆從緜變作巽郭京舉正謂王弼注命乃行也是此下正文誤寫入注案剛巺乎中正而志行即王弼注所謂命乃行也多此句則複矣

剛巺乎中正而志行柔皆順乎剛是㠯小亯利有攸往利見大人

兌說乇剛中而柔外說㠯利貞是㠯順乎天而應乎人說㠯先民民忘其勞說㠯犯難民忘其死說㞢大民勸

矣哉

渙亯剛來而不窮柔得位乎外而上同王假有廟王乃在中也利涉大川

郭京本此下有利貞二字項氏安世云石經彖文利涉大川之下亦有利貞二字惠氏棟云唐石經无此二字當據蜀石經也案王弼注不釋利貞二字

乘木有功也

節亯剛柔分而剛得中苦節不可貞其道窮也說以行險當位以節中正以通

郭京據王弼本有然後乃亨也一句云誤入注案然

後乃亨也上承經文以補其義與顨彖注命乃行也
直承重顨㠯申命而言同例郭氏俱誤以爲正文中
窮通爲韻成民爲韻
天地節而四時成節㠯制度不傷財不害民
中孚柔在內而剛得中說而顨孚乃化邦也豚魚吉信
及豚魚也
郭京舉正作信及也無豚魚二字
利涉大川乘木舟虛也中孚㠯利貞乃應乎天也
小過小者過而亨也
王氏念孫謂小過下宜有亨字與遯彖傳既濟彖傳

同例案漢唐諸儒俱不言脫亨字正義謂此釋小過之名並明小過有亨德之義最爲得之乾元者始而亨者也正與此同王氏則並謂乾元下亦脫亨字

過以利貞與時行也柔得中是以小事吉也

吳澄云后經作是以可小事也郭京本同案此變文以吉與事韻

剛失位而不中是以不可大事也有飛鳥之象焉飛鳥遺之音不宜上宜下大吉上逆而下順也

旣濟亨小者亨也

正義云具足爲文當更有一小字本義亦云濟下疑

脫小字皆妄疑也

初貞剛柔正而位當也初吉柔得中也終止則亂其道
窮也

未濟亨柔得中也小狐汔濟未出中也濡其尾无攸利
不續終也雖不當位剛柔應也

費氏古易訂文卷四終　鎮南劉樾正字

華陽馮廉覆勘

資陽伍鋆覯刻

# 費氏古易訂文卷五

新城王樹枏

象上

天行健

趙汝楳周易輯聞云集韻乾或作⿰阝建因譌爲健武氏億云聖人釋象皆以卦本名言之不宜自變其例注家因文牽附皆鑿說也樹枏亦謂健當爲乾天行乾與地勢坤偶文近有某氏以⿰阝建爲健之異文猶巛爲順之省文違古逞臆並古巛字亦没其眞可謂强解事矣鄭注樂記亦引作天行健葢其誤久矣

君予㠯自强不息

石經初刻彊後改强釋文集解皆作强案强彊皆勥勥之假字說文勥迫也勥古文从彊鄭注樂記引作君子以自强不息

潛龍勿用陽扗下也見龍扗田德施普也終日乾乾反復道也

釋文云復本亦作覆攷文引古本足利本道上有之字一本無也字俱非

或躍扗淵進无咎也飛龍扗天大人造也

釋文云造鄭徂早反爲也王肅七到反就也至也劉

歆父子作聚案漢書楚元王傳云賢人在上位則引其類而聚之於朝易曰飛龍在天大人聚也此陸氏所本竊以聚字乃劉向詁經之字古文易實作造不作聚觀釋文所引鄭注可知造與道咎韻聚非韻

亢龍有悔盈不可久也用九天德不可爲首也

地埶巛

今本作坤據經文訂

君子㠯厚德載物履霜堅冰

晁氏云徐鄭無堅冰二字王昭素以徐氏爲然胡先生亦云然案郭京舉正無堅冰字魏志文帝紀注許

芝條魏代漢見讖緯於魏王引易傳曰初六履霜陰始凝也朱子本義程氏迴俱從其說惠氏棟云許芝所引易傳約爻象而爲之辭也漢司徒魯恭引此象云履霜堅冰陰始凝也未嘗有初六履霜之語趙汝楳云此乃舉爻辭以通釋文義謂言履霜而遽及冰者霜爲陰凝之始冰爲陰凝之極故言始凝以明堅冰之漸儳去堅冰但云始凝則始字无因而發或者京因許芝之對而去耳卜史一時之言可據以改經耶案九家易本作履霜堅冰蓋馬鄭本皆如是慧琳一切經音義十三亦引作履霜堅冰陰始凝也攷文

引古本足利本氷下有至字非是

陰始凝也

說文凝俗氷从疑案說文所謂俗者亦古文常行之或體非許時所造之俗字也許從古文之正字作冰而經典則通用作凝故曰俗俗者習用之謂也俗既假冰為仌故冰字作凝何氏楷惠氏棟段氏玉裁皆欲改冰為仌改凝為冰殊失其實石經初刻脫也字後增

馴致其道至堅冰也六二之動直以方也不習无不利地道光也含章可貞以時發也或從王事知光大也括

囊无咎愼不害屯黃裳元吉文杜中屯龍戰亐野其諂

竆屯用巾亓貞吕大綫屯

雲霝屯

說文霝从雨晶象回轉形靁籀文䨻古文今本作

雷乃緐變之字

君子吕經論

今本作綸釋文云論音倫鄭如字謂論撰書禮樂施

政事黃頴云經論匡濟也本亦作綸晃氏云荀云經

常也論理也便直作綸非案中庸經論天下之大經

釋文亦云論本亦作綸二字古盇通借正義云姚信

謂綸爲綱是姚本作綸而惠刻集解改綸爲論並改姚信爲論遂與正義不合據正義劉表亦作論與鄭同也

雖槃桓志行正也㠯貴下賤大得民也

攷文引古本無二也字

屯二㞢難椉剛也十秊乃字反常也即鹿无虞㠯從禽也

舉正據王輔嗣韓康伯本作何以從禽也案釋文云從鄭黃子用反則鄭君讀從爲縱若增何字則何以縱禽爲不可通矣惠琳一切經音義四十五亦引作

以從禽也無何字

君子舍㞢往吝窮也求而往明也屯其膏施未光也泣

血漣如何可長也

山下出泉蒙君子㠯果行育德初用刑人㠯正法也子

克家剛柔接也勿用取女行不順也

本義謂順當作慎順慎古字通用案古本皆作順不

作慎謂見金夫不有躬所行不順故勿用取女作慎

非是

困蒙㞢吝獨遠實也童蒙㞢吉順㠯巽也

釋文云巽音遜鄭云當作遜案巽遜通字文選魏都

賦㢲其神器李善注云遜與㢲同書堯典女能庸命
㢲朕位釋文云㢲音遜馬云讓也不必破字
枎用禦寇
傳文增用字以足句非經從古而傳從今也
上下順屯
雲上于天需
釋文云王肅本作雲在天上案說文引作雲上于天
今古文葢皆如此于字今本作於誤
君子㠯飲食宴樂需于郊不犯難行屯枎用恒无咎
釋文無无咎二字云本亦有无咎者案石經集解俱

有之
未失常屯需于泚衛扗中屯
惠氏棟以衍字屬上讀據穆天子傳天子東征絕于
沙衍爲證孔氏廣森云衍葢古文愆字之省二爻云
愆在中三爻云災在外意正相對易多古文損象懲
忿窒欲釋文作徵繫辭言天下之至賾而不可惡也
荀本作亞並省不著心者王氏念孫云衍當作行初
九不犯難行是以无咎九二行而在中是以終吉九
二居下卦之中故曰行在中震象傳曰震往來厲危
行也其事在中大无喪也上言行下言在中正與此

行在中同義今案經文作需于沙傳不應復增一衍字荀謂優衍在中而不進也亦以衍屬下讀竊以孔說爲長

雖小有言㠯吉終也

注疏本或作終吉誤足利本以誤也

需于泥烖在外也

今本作災據復上六改作烖

自我致寇敬愼不敗也需于酒食貞吉

攷文引古本足利本酒食上有需字

㠯中正也不速之客來敬之終吉也

今本吉下脫也字王氏念孫云當有也字彖傳無連三句不用也字者吉與失韻與訟復比小畜隨彖傳俱同彖傳述經文卽以爲韻者其韻下皆有也字如比之初六有它吉也大有初九无交害也此類不可枚舉其有上二句稱述經文下二句統釋其義者亦如之如歸妹彖傳帝乙歸妹不如其娣之袂良也其位在中以貴行也與此傳正同而第二句末有也字今案此係顯然脫奪之字謹據王說增補

雖不當位未大失也

天與水違行訟君子以作事謀始不永所事訟不可長

也雖小有言其辯明也不克訟歸逋竄也自下訟上患
至掇也
釋文云掇鄭本作惙云憂也案鄭本當亦作掇而讀
爲惙荀注云下與上爭卽取患害如拾掇小物而不
失也荀與鄭同爲費易荀本作掇鄭亦當然
食舊德從上吉也復卽命渝安貞不失也訟元吉以中
正也以訟受服亦不足敬也
地中有水師君子以容民畜衆師出以律失律凶也杜
師中吉承天寵也
釋文云寵鄭云光燿也王肅作龍云寵也龍寵通字

詩何天之龍大戴記衛將軍文子篇作何天之寵是
也
王三賜命懷萬邦也師或輿尸大无功也左次无咎未
失常也長子帥師以中行也弟子輿尸使不當也大君
有命以正功也小人勿用必亂邦也
地上有水比先王以建萬國親諸侯比之初六有它吉
也比之自內不自失也比之匪人不亦傷乎
案乎當爲也干寶注云比建萬國唯去此人故曰比
之匪人不亦傷王政也是干本作也不作乎
外比于賢以從上也顯比之吉位正中也舍逆取順失

歬禽也

舉正作失前禽舍逆取順也趙氏汝楳云京本失前禽在舍逆取順之上意彼以釋辭在上爻辭在下乃倒顚之案小象類此頗多恆九四田无禽傳曰久非其位安得禽也解初六无咎傳曰剛柔之際義无咎也旅九三喪其童僕傳曰以旅與下其義喪也凡是與比正同庸可臆改耶今案禽與中終韻與屯三禽窮恒四禽容皆與東部字為韻如郭氏所改則失韻矣

邑人不誡上使中也比之无首无所終也

風行天上小畜君子以懿文德復自道其義吉也牽復在中亦不自失也夫妻反目不能正室也有孚惕出上合志也有孚攣如不獨富也既雨既處德積載也君子征凶有所疑也

張鼎思云疑舊作礙孔廣森亦讀爲礙云古文偏旁多省

上天下澤履君子以辯上下定民志素履之往獨行願也幽人貞吉中不自亂也眇能視不足以有明也

慧琳一切經音義三十三引作眇能視不足以與明也

跛能履不足吕與行也咥人㞢凶位不當也武人爲亐
大君志剛也虩虩終吉志行也夬履貞厲位正當也元
吉在上大有慶也

天地交泰后吕裁成天地㞢道

今本作財釋文云荀作裁案漢書律麻志引中古文易作裁集解引鄭注云財節也字亦當作裁李氏據正文比而同之耳繫辭化而裁之釋文亦云裁本又作財李善文選注楊倞荀子注顏師古漢書注俱云裁與財通

輔相天地㞢宜吕左右民拔茅征吉志在外也苞荒得

尚亏中行㠯光大也无平不陂

今本作无往不復釋文出无平不陂云一本作无往不復陸氏所據王弼易葢作无平不陂今則悉從一本改之矣集解音訓俱同釋文雙湖胡氏所刻本義亦作无平不陂今本亦改爲无往不復非朱子之舊也宋袁本作无平不陂无往不復二句與攷文所引古本同石經作无往不復與今本同

天地際也篇篇不富皆失實也不戒㠯孚中心願也㠯祉元吉中㠯行願也城復亏隍其命亂也

天地不交否君子㠯儉德辟難

虞翻云儉或作險二字同聲相假荀子富國篇俗儉
而百姓不一楊倞注云儉當爲險襄二十九年左傳
險而易行杜預注云險當爲儉此文以義求之實當
爲儉儉德謂歛約其德不求人知之意

不可榮吕祿

虞易作營云營或作榮王氏引之云營惑也漢書敘
傳四皓遯秦古之逸民不營不拔嚴平鄭眞應劭曰
爵祿不能營其志威武不能屈其身也易曰不可營
以祿顧氏隸辯所載漢婁壽碑雙鉤本亦作安貧守
賤不可營以祿老子銘曰樂居下位祿埶弗營貴鳳

碑曰退己進弟不營榮祿是漢易多作營其作榮者假字也商子農戰篇上作壹故民不榮韓子內儲說乃遺之屈產之乘垂棘之璧女樂六以榮其意而亂其政皆借榮爲營與此同案此文讀榮爲榮美之榮謂不可榮美之以祿詞意自明本義云收斂其德不形於外以辟小人之難人不得以祿位榮之最得其旨

拔茅貞吉志在君也大人否亨不亂羣也包羞位不當也有命无咎志行也大人之吉位正當也否終則傾何可長也

陸績引京氏易傳作否極則傾終亦極也

天與火同人君子㠯類族辨物

辯注疏本或作辨李鼎祚陸德明俱作辯

出門同人又誰咎也同人亏宗吝道也伏戎亏莽敵剛也三歲不興安行也乘其墉義弗克也其吉則困而反則也同人之先㠯中直也大師相遇言相克也同人亏郊志未得也

火在天上大有君子㠯遏惡揚善順天休命大有初九无交害也大車㠯載積中不敗也公用亯亏天子小人害也匪其彭无咎明辯晢也

辯注疏本或作辨唐石經集解俱作辯遰今本作晢
釋文云晢章舌反王廙作晣同音徐李之世反又作
哲字鄭本作遰云讀如明星晢晢陸本作逝虞作折
晁氏云徐李劉遵作晢案遰與逝同字與晢同音相
假監本誤從析析作晢晢非體說文晢人色白也從白
析聲蓋隸變字也
厥孚交如信吕發志也威如㞢吉易而无備也大有上
吉自天右也
今本作祐今從九家本作右
地中有山謙君子吕掊多益寡

今本作裒釋文云裒鄭荀董蜀才作捊云取也字書作掊廣雅云掊減今案唐石經作褎裒卽褎之或體說文無裒字爾雅釋詁裒聚也釋文云本或作捊玉篇捊步溝切詩云原隰捊矣捊聚也今詩作裒捊裒葢一聲之轉集解引虞翻云捊取也與鄭荀合玉篇引易作君子以掊多益寡

稱物平施謙謙君子卑以自牧也鳴謙貞吉中也得也勞謙君子萬民服也无不利撝謙不違則也利用侵伐征不服也鳴謙志未得也可用行師

攷文引古本可作利

征邑國也

音訓引晁氏謂多此邑字非也此傳文增字以足句也

靁㞢地奮豫先王㠯作樂崇德殷薦㞢上帝

釋文云殷馬云盛也說文云作樂之盛稱殷京作隱案殷隱通字西京賦鄉邑殷賑蜀都賦作邑居隱賑李善注云隱盛也詩柏舟如有隱憂韓詩作如有殷憂閒居賦煌煌乎隱隱乎李善注云隱隱一作殷殷音義同集解引鄭注云殷盛也與馬同漢書禮樂志藝文志亦引作殷殷古文也釋文云薦本又作䕻同

本或作鹰獸名耳非案薦者荐之假字晁氏云說文
无之字案今本說文般下引易有之字
㠯配祖考
據鄭易豐初九遇其妃主之妃則此配字亦當作妃
漢書藝文志引作以享祖考
初六鳴豫志窮凶也不終日貞吉㠯中正也
何楷云俞氏謂中正當作正中乃叶凶韻今案俞說
是隨五象傳位正中也釋文云一本作中正誤與此
同
盱豫有悔位不當也由豫大有得志大行也六五貞疾

椉剛也恆不死中未亾也冥豫在上何可長也
澤中有雷隨君子㠯嚮晦入宴息
今本作嚮釋文云嚮本又作向王肅本作鄉音同晁
氏云鄉古文案嚮俗字係後人所改古本祇作鄉字
觀詩箋禮注凡鄉字釋文俱云鄉本作嚮蓋鄭本俱
作鄉後人據今體改作嚮也此文嚮字亦然王肅本
作鄉蓋未經改竄之本向鄉同字
官有渝从正吉也出門交有功不失也係小子弗兼與
也係丈夫志舍下也隨有獲其義凶也有孚在道明功
也孚于嘉吉位正中也

釋文云正中一本作中正案虞翻云凡五言中正中正皆陽得其正是虞易作中正正字失韻

拘係㞢上竆乜

山下有風蠱君子㠯振民育德

釋文云育德王肅作毓德古育字案說文育或作毓

榦父㞢蠱意承考乜榦母㞢蠱得中道乜榦父㞢蠱終无咎乜裕父㞢蠱往未得乜榦父用譽承㠯德乜不事王矦尚可則乜

澤上有地臨君子㠯教思无竆容保民无疆咸臨貞吉

志行正乜咸臨吉无不利未順命乜

晁氏云胡先生謂此未字羨文案荀注云陽感至二當升居五羣陰相承故无不利也陽當居五陰當順從今尚在二故曰未順命也是荀所據古本有未字惠氏棟云建丑之月陰猶用事故云未順命坤爲順互頤爲命

甘臨位不當也既憂之咎不長也至臨无咎位當也

釋文云位當也本或作當位實非也案荀注云陽雖未乘處位居正故得无咎是位當也

大君之宜行中之謂也敦臨之吉志在內也

風行地上觀先王以省方觀民設教初六童觀小人道

屯闕觀女貞

釋文云一本有利字攷文引古本足利本女上有利字

亦可醜屯觀我生進退未失道屯觀國之光尚賓屯

晁氏云京陸績作上賓尚上通字

觀我生觀民屯觀其生志未平屯

靁電噬嗑

項安世云石經作電雷晁公武謂大象無倒置者當從石經惠氏棟云唐石經作雷電項氏所據或是蜀石經張希獻謂是蔡邕字也何楷云李鼎祚本作電雷案今本集解作雷電引宋衷云雷動而威電動而

明故須雷電竝合而噬嗑備引侯果云雷所以動物電所以照物雷電震照則萬物不能懷邪據此則李氏本作雷電不作電雷矣顏師古注漢書敘傳引易象辭曰雷電噬嗑先王以明罰敕法劉德亦云震下離上噬嗑雷電取象天威也是漢唐諸家皆作雷電並無異辭至宋儒始有此疑

先王㠯明罰敕灋

今本作勑釋文云勑俗字也字林作勅鄭云敕猶理也音訓所引釋文作敕猶理也今本釋文譌作勑一云整也師古漢書注亦引作敕法五經文字云敕古勑字今相承皆作勑漢書藝文

志引作明罰飭法敕飭勑三字古多通用說文敕誡
也勑勞也
屨校滅止不行也
釋文云不行也本或作止不行也案止字涉上止字
而衍上止字今本改作趾因將古文止字重列於下
此譌誤之顯然者
噬膚滅鼻乘剛也遇毒位不當也利艱貞吉未光也
釋文作未光大也云本亦無大字案大字失韻李鼎
祚本無大字
貞厲无咎得當也何校滅耳聰不明也

攷文引古本明下脫也字

山下有火賁君子以明庶政无敢折獄

釋文云明蜀才作命案下繫繫辭焉而命之釋文云孟作明彼蓋今文為明古文為命也此則諸家皆作明

舍輿而辻義不椉也

今本作弗晁氏云鄭王作不

賁其須與上興也永貞之吉終莫之陵也六四當位疑也匪寇婚媾終无尤也六五之吉有喜也白賁无咎上得志也

山附亏地剝

今本于作於誤

上以厚下安宅剝牀以足以滅下也剝牀以辨未有與

也剝之无咎

晁氏云多此六字今案此係傳文增辭足句不可據

經删之李鼎祚本經無而傳有

失上下也剝牀以膚切近烖也以宮人寵終无尤也君

子得輿民所載也小人剝廬終不可用也

顧氏易音謂用字不得其韻盧氏文弨皆以用爲害

字形近之譌王氏念孫云害從丯聲於古音屬祭部

坤象傳害與發大韻大有象傳害與敗晳韻咸象傳害與外與大末說韻他及羣經楚辭諸子未有與之部之災尤載志事等字同用者之祭二部古韻絕不相通烏得以用爲害字耶此用字讀爲以元應衆經音義引蒼頡云用以也古書用以二字多通用用讀爲以猶小閔之集讀爲就棠武之戎讀爲汝皆聲近義同之字太元止測曰弓反見很終不可以也卽用象傳語則象傳用字讀爲以明矣以於古音亦屬之部今案用讀爲以項氏安世已有此說此卽吾古韻例所謂音轉義同相通爲韻之例也

靁在地中復先王㠯至日閉關商旅不行后不省方不

遠之復㠯脩身也休復之吉㠯下仁也頻復之厲義无

咎也中行獨復㠯從道也敦復无悔繇㠯自考也迷復

之凶反君道也

天下靁行物與无妄

考文引古本行誤往

先王㠯茂對時育萬物

舉正無萬字云今本見王弼注中有萬字誤增案漢

唐諸家俱有萬字易緯坤靈圖亦引作育萬物

无妄之往得志也不耕穫

舉正作不耕而穫考文引古本穫上亦有而字石經初刻有而字後改刪去

未富也

舉正作求富也與諸家異

行人得牛邑人災也可貞无咎固有之也无妄之藥不可試也无妄之行窮之災也

天拄山中大畜君子以多識前言往行以畜其德

釋文云識劉作志識志古通用荀子成相篇治亂是非亦可識託於成相以喻意楊倞注云識如字亦讀爲志禮禮運而有志焉鄭注云志謂識古文虞翻云

坎爲志是虞亦作志也志今文識古文

有厲利己不犯烖也

今本烖作災

輿說輹中无尤也利有攸往上合志也六四元吉有喜

也六五㞢吉有慶也何天㞢衢

舉正衢下有亨字

道大行也

山下有靁頤君子㠯愼言語節飲食說文㔻下引易君子節飲食觀我朵

頤亦不足貴也六二征凶行失類也十秊勿用道大悖

也顛頤㞢吉上施光也居貞㞢吉順㠯從上也由頤厲

吉大有慶也

澤滅木大過君子以獨立不懼遯世无悶

釋文云遯本又作遁

藉用白茅柔在下也老夫女妻過以相與也棟橈之凶不可以有輔也棟隆之吉不橈乎下也枯楊生華何可久也老婦士夫亦可醜也過涉之凶不可咎也

水洊至習坎

今本作洊釋文云洊京作臻干作荐案此文與洊雷震皆當從干寶作荐說文荐薦席也凡親地者謂之筵加于筵者謂之席席卽因也重于筵者也故爾雅

云荐再也小爾雅云荐重也此引伸之義也兩坎相
重故曰水荐至兩震相重故曰荐雷震若依惠氏之
說以洊爲說文瀳字則荐雷爲不可通矣洊者後出
之字說文所無爾雅釋言荐再也郭璞注引易正作
水荐至
君子㠯常德行習教事習坎人坎夫諂凶屯求小得未
凼中屯來㞢坎坎緣无功屯尊酒簋
釋文出樽酒簋云一本更有貳字音訓亦云樽酒簋
今本作樽酒簋貳晁氏云有貳字者因王弼注失之
京劉一行皆以貳用缶爲句虞云禮有別樽故貳用

缶張弧陸希聲說皆同虞案今古文兩家皆無貳字
後人妄增

剛柔際也坎不盈中未大也
虞翻李鼎祚本大上有光字正義亦云居中而无其
應未得光大據此則孔所據王弼本有光字

上六失道凶三歲也

明网作離

今本作兩兩者网之假字
大人以繼明照于四方
京房陸績本大人作君子鄭注云明兩者取君明上

下以明德相承其於天下之事無不見也鄭以君釋大人則古文作大人不作君子矣郭京謂王弼本繼明上有明照二字大謬

履錯之敬以辟咎也黃離元吉得中道也日昃之離何可久也焚如其來如无所容也六五之吉麗王公也今本作離釋文離音麗鄭作麗

王用出征以正邦也釋文云王肅本此下更有獲匪其醜大有功也案諸家皆無此王肅僞造

費氏古易訂文卷五終

鎭南劉樾正字

華陽馮廉覆勘

資陽伍鋆𦕅刻

# 費氏古易訂文卷六

新城王樹枏

象下

山上有澤咸君子以虛受人咸其拇志在外也雖凶居吉順不害也咸其股亦不處也志在隨人所執下也貞吉悔亡未感害也憧憧往來未光大也咸其脢志末也咸其輔頰舌騰口說也

今本作滕釋文云滕九家作乘虞作媵鄭云送也晁氏云鄭作媵送也虞作騰送也今案晁氏謂鄭作媵虞作騰鄭虞二字乃傳寫倒誤攷集解引虞翻作媵

不作騰與釋文合正義云鄭元又作滕口送也滕口
當爲騰騰謂鄭又作騰騰送也毛本注疏改作媵媵
送也若然則鄭虞同作媵晁氏不待互舉矣儀禮大
射儀媵觚于賓鄭君注云古文媵皆作騰媵卽偹之
今禮其字後出故古文祇作騰燕禮注所謂今文媵
皆作騰者今文乃古文之譌當以大射篇注爲正虞
爲今易故作媵鄭爲古易故作騰惠氏棟所輯鄭易
乃作媵口說也殊爲失考滕爲騰之假字騰媵與乘
音義俱同顏氏家訓音辭篇引劉昌宗周官音讀乘
若承釋名云媵承也詩百川沸騰毛傳云騰乘也韓

詩不震不騰亦以騰爲乘則乘亦相假之字
靁風恆君子㠯立不易方濬恆㞢凶始求深也九二悔
亾悔久中也不恆其德无所容也久非其位安得禽也
婦人貞吉從一而終也夫子制義從婦凶也振恆在上
大无功也
天下有山遯君子㠯遠小人不惡而嚴遯尾㞢厲不往
何災也執用黃牛固志也係遯㞢厲有疾憊也
今本作憊釋文云憊鄭云困也王肅作𤻲荀作備晁
氏云備古文憊字案既濟三年克之憊也陸績本亦
作備云當爲憊憊則陸所據本作備與此文同故云備

當爲僃若本作僃則無待多此周折矣葢鄭本亦作備爲後人所竄亂而背本尚畱其眞故陸氏祇出葡易也說文備愼也從人葡聲此文與旣濟備字俱當依說文訓爲愼

畜臣妾吉不可大事也君子好遯小人否也嘉遯貞吉㠯正志也肥遯无不利无所疑也

此疑字亦嶷之省文

靁扗天上大壯君子㠯非禮弗履壯于止其孚窮也九二貞吉㠯中也小人用壯君子罔也

攷文引古本罔上有用字非

藩決不羸尚往也喪羊于易位不當也不能退不能遂不祥也

今本作詳釋文云詳審也鄭王肅作祥善也案虞翻云乾善爲祥則虞本作祥正義云祥善也則孔所據王弼本亦作祥與陸氏所見弼本不合臧氏庸云唐石經及注疏本古本足利本皆作祥與集解舊本合惠刻集解改爲詳審字謬極

艱斯吉咎不長也

明出地上晉君子以自照明德

今本作昭孔疏云昭周氏等爲照字案集解引鄭虞

皆作照照與昭古通用孫叔敖碑處幽暗而照明劉
熊碑誕生照明葢皆以照爲昭
晉如摧如獨行正也裕无咎未受命也受茲介福以中
正也眾允之志上行也鼫鼠貞厲位不當也失得勿恤
往有慶也維用伐邑謟未光也
明入地中明夷君子以位眾用晦而明
今本作莅案道德經釋文云古無莅字說文作𨽻周
禮肆師凡師甸用牲于社宗則爲位注云故書位爲
涖杜子春云涖當爲位書亦或爲位葢古時莅涖字
祇以位字爲之需象位乎天位鄭讀涖乎天位則此

文古當亦作位後人從俗以加艸頭耳今據需彖訂

正

君子亏行義不倉乜巾二乜吉順㠯則乜南狩乜志乃

大得乜

注疏本或作得大誤倒

入亏左腹獲乜意乜

攷文引古本也誤者

箕子乜貞明不可息乜初登亏天照四國乜後人亏地

失則乜

風自火出家人君子㠯言有物而行有恆閑有家志未變乜

攷文引古本也上衍之字
中二之吉順㠯巽也家人熇熇未失也婦子嘻嘻失家
節也富家大吉順在位也王假有家交相愛也威如之
吉反身之謂也
上火下澤睽君子㠯同而異見惡人㠯辟咎也
虞翻李鼎祚本辟作避避今文
遇主于巷未失道也見輿曳位不當也无初有終遇剛
也交孚无咎志行也厥宗噬膚往有慶也遇雨之吉羣
疑亾也
山上有水蹇君子㠯反身脩德

舉正作正身案王弼注云除難莫若反身脩德是王
作反不作正也脩或作修古文多假脩爲修
往蹇來譽宜待時也
今本無時字釋文云張本作宜時也鄭本作宜待時
也案虞翻與鄭同王弼注云覩險而止宜待其時正
義云既往則遇蹇宜止以待時也據此則王本有時字
王臣蹇蹇終无尤也往蹇來反內喜之也往蹇來連當
位實也大蹇朋來以中節也往蹇來碩志在內也利見
大人以從貴也
雷雨作解君子以赦過宥罪

釋文云肴京作尤音誤字

剛柔之際義无咎也九二貞吉得中道也負且乘亦可

醜也自我致戎

釋文云戎本又作寇晁氏云其失自虞始虞前皆依

爻作寇案此與需傳皆易字以解經非虞改爲戎也

又誰咎也解而拇未當位也君子有解小人退也公用

射隼以解悖也

山下有澤損君子以徵忿懫欲

今本作懲忿窒欲釋文云徵直升反止也鄭云猶清

也劉作澂云清也蜀才作澄案古本作徵有讀爲懲

者因加心有讀爲澂者因改水鄭君訓爲清則讀爲澂矣史記建元以來侯者年表荆荼是徵是以徵爲徵漢羊竇道碑盜賊徵止是以徵爲澂晁氏云蜀才作登登古文澄字釋文云窒鄭劉作懫懫止也孟作恎陸作沯案廣雅懫止也蓋本鄭易竊以懫當爲躓訟象窒字馬本作咥讀爲躓云猶止也躓止之訓與此文鄭注正同馬當據此文言之也說文有咥躓無恎懫許從孟易而不收恎字則此恎字亦當爲咥窒之爲咥爲躓正與訟象同恎懫二字蓋後人據晚出之字改之也釋文云欲孟作浴晁氏云孟作谷谷古

文欲字孫氏堂云㮟釋老子銘谷字亦作浴

已事顓徃上合志也

今本作尙小畜大畜諸傳俱作上合志也集解本正

作上據正

九二利貞中㠯爲志也一人行三則疑也損亓疾亦可

喜也六五元吉自上右也

今本作祐釋文云本亦作佑案俟果作右與无妄彖

傳合今據訂正

弗損益之大得志也

風靁益君子㠯見善則遷有過則改元吉无咎下不厚

事也或言之自外來也言用凶事固有之也

集解作固有之矣

告公以己言志也有孚惠心勿問之矣惠我德大得志

也莫益之偏辭也

釋文云偏孟作徧云周帀也案虞翻李鼎祚俱作徧

徧今文偏古文二字古通用

或擊之自外來也

澤上于天夬君子以施祿及下居德則忌不勝而往咎

也有戎勿恤得中道也君子夬夬終无咎也其行趑且

位不當也聞言不信聰不明也中行无咎中未光也无

號㞢凶綫不可卷乇

天下有風講后㠯施命誥四方

後漢書魯恭傳引命作令案古文命字作令與令相似故譌詰今本作誥釋文云誥四方鄭作詰起一反止也王肅同案魯恭傳引注云后以施令詰四方言君以夏至之日施命令止四方行者所以助微陰也止字即釋詁字今本後漢書亦誤作誥惠氏士奇云姤一陰生姦慝將萌之象故禁止之書曰度作祥刑以詰四方謂禁止四方之姦慝也晉冬夏二至寢鼓兵議曰夏至少陰肇啟殺氣始興否剝將至大戚方

來宜鳴鼓開關興兵駭旅施命四方詰其逆兆以遏小人方長之害二至之義否泰道殊休戚互異寢鼓之教不宜同也是晉易亦作誥字京氏易傳作君子以號令告四方與諸家不同誥則今文易也

繫亐金柅柔道牽也包有負義不及賓也其行趑且行未牽也无負㞢凶遠民也九五含章中正也有隕自天志不舍命也遘其角上窮吝也

澤上亐地萃君子㠯除戎器戒不虞

釋文云除本亦作儲又作治王肅姚陸云除猶脩治師同鄭云除去也蜀才云除去戎器脩行文德也荀

作慮案鄭意以人聚則易爲亂故除去戎器以戒不
虞葢不使藏兵於民也竊以國之大事在祀與戎故
彖言假廟而象言除戎若除而去之則爲嬴秦之亂
政非聖人備亂防危之旨也虞翻王弼皆以除爲脩
治與姚陸同此正義也荀作慮者慮讀爲前茅慮無
之慮杜預注云慮有無也亦戒備之意據下繫存而
不忘亡荀注云謂除戎器戒不虞也則荀本亦作除
而讀除爲慮耳翟元云在存則慮亡
乃亂乃萃其志亂也引吉无咎中未變也往无咎上巽
也大吉无咎位不當也萃有位志未光也

釋文無志字云一本作志未光也案孔穎達所據王弼本有志字

齎咨涕洟未安上也

地中生木升君子以順德

釋文云順如字王肅同本又作愼師同姚本德作得案史徵口訣義引何妥作愼德阮刻禮記注疏中庸篇鄭注引易作君子以順德岳本閩監毛本同惠氏棟校宋本作愼考文引古本足利本同正義釋文亦俱作愼陸氏云一本又作順孫志祖云順德坤德也作愼於卦義不切詩應侯順德鄭箋亦引易曰君子

以順德可證康成本作順矣愼順二字古多相亂本
義誤謂王肅作愼惠氏亦妄改集解作愼皆失其實
德得古通字

積小吕高大

釋文云以高大本或作以成高大集解及口訣義俱
有成字惠氏周易述增入成字以中庸鄭注所引易
爲證王氏引之云岳本中庸注作積小以高大無成
字考文引宋本同中庸正義述鄭注亦無成字監本
有成字乃淺學人所增不足爲據升正義述經文作
積小以高大且釋之曰始於細微以至高大口訣義

引何晏曰積其微小以至高大是孔氏何氏所見本
竝無成字唐石經同陸雖列或本而正文仍作以高
大是不以或本爲主也集解載鄭注曰聖人在諸侯
之中明德日益高大詩下武箋引易曰積小以高大
足證鄭本之無成矣似未可據俗本中庸注以改經
文魏志鍾會傳注會爲其母傳曰君子之行皆積小
以致高大晉書王羲之傳濟否所由實在積小以致
高大諸所用經文皆無成字

允昇大吉上合志也九二之孚有喜也昇虛邑无所疑
也

疑讀爲礙

王用亯亏岐山順事也貞吉昇階大得志也冥昇在上消不富也

澤无水困君子㠯致命遂志人亏幽谷幽不明也舉正作不明也无幽字晁氏云徐氏謂多此幽字案徐氏之說多本郭京

困亏酒食中有慶也據亏蒺藜乘剛也人亏其宮不見其妻不祥也來徐徐志在下也雖不當位有與也劓刖志未得也乃徐有說㠯中直也利用祭祀受福也困亏葛藟未當也動悔有悔吉行也

木上有水井君子㠯勞民勸相井泥不食下也舊井无
禽時舍也井谷射鮒无與也井渫不食行惻也
攷文引古本行上有其字
求王明受福也井甃无咎脩井也
脩或作修
寒泉之食中正也元吉在上大成也
澤中有火革君子㠯治厤明時鞏用黃牛不可㠯有爲
也巳日革之行有嘉也革言三就又何之矣改命之吉
信志也大人虎變其文炳也
錢氏大昕云炳爲彪之假字說文彪虎文彪也

君子豹變蔚其文也

今本作其文蔚也釋文云蔚說文作斐案說文斐分别文也从文非聲引易曰君子豹變其文斐也此孟氏今文易也錢氏大昕云吳人呼熨斗爲運斗熨有運音則蔚亦可讀爲運也熨斗亦謂之威斗漢律婦告威姑者君姑也說文君讀若威威與君同音則蔚與君協韻斐者蔚之異文斐與分聲相近故亦可與君協韻也今案慧琳一切經音義八十九引易作君子豹變蔚其文也此必當時古本如是故慧琳引之與上其文炳也錯互以與君爲韻今本從孟氏今文

易誤倒其文與上句比儷遂失其韻矣幸有此書可
證眞所謂披霧見天者矣
小人革面順㠯從君也
木上有火鼎君子㠯正位凝命
釋文云凝翟作擬云度也形譌
鼎顛止未悖也利出否㠯從貴也鼎有實愼所之也我
仇有疾終无尤也鼎耳革失其義也覆公餗信如何也
鼎黃耳中㠯爲實也王鉉在上剛柔節也
荐靁震
今本作洊洊俗字今從干易水荐至之荐訂正

君子以恐懼脩省

　脩本或作修

震來虩虩恐致福也笑言啞啞後有則也震來厲億喪

也震蘇蘇位不當也震遂泥未光也震往來厲危行也

其事在中大无喪也震索索中未得也雖凶无咎畏鄰

戒也

兼山艮君子以思不出其位艮其止未失正也不拯其

隨未退聽也

　虞翻李鼎祚本退作違字誤

艮其限危熏心也艮其身止諸躬也艮其輔以正中也

今本作以中正也何氏楷云朱子謂正字羨文姚小
彭云當作以正中於韻爲協案虞翻云五動之中故
以正中也是虞本作正中據訂
𦤎𥃩㞢吉㠯𠪚終也
說文𠪚山陵之𣆪也从厂从𣆪𠪚者𣆪之假字
山上有木漸君子以居賢德善俗
釋文云善俗王肅本作善風俗案郭京本善下亦有
風字魏晉人好爲儷文故增風字本義謂疑賢字衍
或善下有脫字是爲王肅所惑矣未濟傳君子以愼
辨物居方正與此句法同

小子之厲義无咎也飤倉衎衎不素飽也夫征不復離羣醜也婦孕不育失其道也利用禦寇順相保也或得其桷順以巽也終莫之勝吉得所願也其羽可用爲儀吉不可亂也

澤上有雷歸妹君子以永終知敝

釋文敝作弊案諸家皆作敝

歸妹以娣以恒也

晁氏云孟京无下以字脫

跛能履吉相承也利幽人之貞未變常也歸妹以須未當也愆期之志有待而行也

釋文云一本待作時案傳以待釋遲字楊倞荀子脩
身篇注云遲待也
帝乙歸妹不如其娣之袂良也
舉正良下無也字蓋從誤本需上六傳删之以爲古
其位在中以貴行也上六无實承虛筐也
靁電皆至豐君子以折獄致刑雖旬无咎過旬災也
晁氏云雖旬无咎觀詞意當作惟古文本作惟讀易
者失之案玉篇雖字或作唯唯惟同物禮少儀雜記
鄭注竝云雖或作唯史記汲黯傳宏湯深心疾黯唯
天子亦不說也漢書𨿽作雖漢書楊雄傳解嘲云唯

其人之贍知哉文選注作雖此文承經文作雖不必

讀爲唯其義自通

有孚發若信㠯發志也

攷文引古本若下衍吉字脫也字

豐其芾不可大事也折其右肱終不可用也豐其蔀位

不當也日中見斗幽不明也遇其夷主吉行也

舉正以吉字屬上句下增志字案正義云與陽相遇

故得吉行是孔所見王弼本以吉行連文無志字虞

翻云動體明夷震爲行故曰吉行

六五之吉有慶也豐其屋天際祥也

今本作天際翔也釋文云際如字鄭云當爲瘵瘵病
也翔鄭王肅作祥晁氏云孟亦作祥云天降惡祥案
詩菀柳無自瘵焉鄭箋云瘵接也正義云鄭讀爲交
際之際故云接也則彼文又讀瘵爲際二字葢同音
相假天瘵祥者謂天病之以災祥之事鄭注復上六
云異自內生曰眚自外曰祥與孟易天降惡祥同義
翔者祥之假字漢修堯廟碑翔風膏雨翔風卽祥風
也吳仲山碑出入敖詳顏師古漢書西域傳注云翔
與詳同假借用耳
闃其戶闃其无人自戕也

今本作藏釋文云藏衆家作戕馬王肅云殘也鄭云
傷也案藏戕同音相借詩十月之交曰予不戕釋文
云戕王本作臧淮南說林訓高鳥盡而强弩藏高誘
注云藏猶殘盡亦讀藏爲戕戕取離兵震動之象
凶上有火旅君子吕明愼用㓝而不畱獄旅瑣瑣志窮
災也得童僕貞終无尤也旅焚其次亦吕傷矣吕旅與
下其義喪也旅于處未得位也得其資斧心未快也終
吕譽命上逮也吕旅在上其義焚也
釋文云其義焚也一本作宜其焚也馬云義宜也
喪牛之凶

今本作喪牛于易釋文云喪牛之凶本亦作喪牛于易案集解亦作喪牛之凶

終莫㞢聞也

隨風顨君子吕申命行事進退志疑也利武人㞢貞志治也紛若㞢吉得中也頻巽㞢吝志窮也田獲三品有功也九五㞢吉位正中也巽在牀下上窮也喪其資斧正乎凶也

離澤兌

今本作麗釋文云麗鄭作離云猶併也

君子吕朋友講習和兌㞢吉行未疑也孚兌㞢吉信志

也來兌㞢凶位不當也九四㞢喜有慶也孚亏剝位正
當也上六引兌未光也
風行水上渙先王㠯亯亏帝立廟
今本亯作享
初六㞢吉順也渙奔其机得願也渙其躳志扗外也渙
其羣元吉光大也王居无咎正位也渙其血遠害也
澤上有水節
釋文云上或作中今不用晁氏云侯云澤中有水隄
防爲節也案今本集解引侯果仍作澤上有水
君子㠯制數度議德行不出戶庭知通塞也不出門庭

凶夫時極也不節之嗟又誰咎也安節之亨承上道也
甘節之吉居位中也苦節貞凶其道窮也
澤上有風中孚君子以議獄緩死初九虞吉志未變也
其子和之中心願也或鼓或罷位不當也馬匹亡絕類
上也有孚攣如位正當也翰音登于天何可長也
山上有雷小過君子以行過乎恭喪過乎哀用過乎儉
飛鳥以凶不可如何也不及其君臣不可過也從或戕
之凶如何也弗過遇之位不當也往厲必戒終不可長
也密雲不雨已尚也

今本作上釋文云上鄭作尚云庶幾也案以尚為庶

幾與今文異義

弗謁謞也已亢也

水扗火上既濟君子以恖患而豫防之

荀注下繫治而不忘亂云謂思患而逆防之據此則

荀易豫當爲逆

曳其輪義无咎也七日得以中道也三秊克之備也

今本作憊釋文云憊鄭云劣弱也陸作備云當爲憊

憊困劣也案陸云當爲憊則文本作備可知據遯九

三傳荀作備此文當亦作備與陸同

終日戒有所疑也東鄰殺牛不如西鄰之時也實受其

福吉大來也濡其首厲何可久也
火在水上未濟君子以愼辡物居方
今本作辨據同人象傳辡物字正
濡其尾亦不知極也
本義云極字恐是敬字錢氏大昕云極从亟亟敬聲
近廣韻亟敬也方言自關而西秦晉之間凡相敬愛
謂之亟則朱以極爲敬甚合但不必破字耳案敬極
雙聲此余古韻例所謂以雙聲爲韻之例也
九二貞吉中以行正也未濟征凶位不當也貞吉悔亡
志行也君子之光其暉吉也

釋文云暉字又作輝𪸩俗字
歙酒濡首亦不知節也

費氏古易訂文卷六終

鎮南劉樾正字
華陽馮廉覆勘
資陽伍鋆斠刻

# 費氏古易訂文卷七

新城王樹枏

## 繫辭上

釋文云繫徐胡詣反系也又音係續也字從毄若直作毄下系者非辭本亦作𤔲依字應作詞說也說文云詞者意內而言外也辤不受也受辛者宜辤之辤籀文辤字也案諸家俱作繫辭說文繫繫褫也系縣也古書系字多假繫爲之毄亦系之假字說文辭說也（今本說譌訟廣韻七之所引不誤）從𤕦辛𤔲籀文辭從司與辤篆爲二辭正字陸氏以辭辤並舉其或當時諸本有假辤爲

之者故陸及之歟辭與詞微有別段氏謂言以足志詞之謂文以足言辭之謂繫辭二篇所謂積詞而爲辭者也其字正宜作辭陸氏謂依字應作詞亦非也先儒俱以辭爲爻卦之辭聖人繫屬此辭於其下此則繫辭之傳也宋歐陽氏獨謂今繫辭之文雜論易之諸卦其辭非有所繫不得謂之繫辭葉少蘊亦云太史公引天下同歸而殊塗一致而百慮爲易大傳則漢諸儒固未嘗以今兩篇爲繫辭也竊以今兩篇之言多雜後世經師之語不盡出於孔子觀漢書郊祀志劉向引誣神者殃及三世亦稱易大傳與太史

公同今十翼中無此語據此知漢時所謂易大傳者非孔子之書當時學者鈔撮大傳之語雜入十翼後世相承不察遂以當孔子之繫辭今逐加紬繹乃知繫辭以下六篇爲經師述孔子之文其言多與先秦古書相出入余嘗爲證僞一書以辨六篇之失但馬鄭時奉此爲眞本不復別異今亦姑仍其次第以復費氏古文之舊而已

天尊地卑

釋文云卑本又作埤埤者卑之假字

乾巛定矣卑高目陳

樂記作卑高已陳

貴賤位矣動靜有常剛柔斷矣方以類聚物以羣分吉凶生矣在天成象在地成形變化見矣是故剛柔相摩

釋文云摩本又作磨京云相磑切也馬云摩切也鄭注禮記云迫也案摩磨古通字禮樂記陰陽相摩釋文亦云摩本又作磨慧琳一切經音義五十引作堅柔相摩

八卦相盪

今本作盪釋文云盪衆家作蕩王肅音唐黨反馬云除也桓云動也惟韓云相推盪據此則漢魏以前皆

作蕩改蕩爲盪自韓康伯始惠氏棟云後漢帷蔡湛碑以盪爲蕩从俗作也

鼓㞢㠯靁霆

釋文云霆蜀才云疑爲電案慧琳一切經音義九十二引周易云霆電也莊子天運篇吾驚之以雷霆釋文云霆電也穀梁隱九年傳云電霆也開元占經一百二引京房云凡霆者金餘氣也霆或中天而見或如交蛇或正赤下至地而復上或正直而長光明或正黃澤或瞬瞬暉暉或奕奕明之而復息此皆霆電相類之證蜀才但知霆爲雷類而不知霆亦電類也

樂記正作鼓之以雷霆

潤㞢㠯風雨日月運行

釋文云運行姚作違行

一寒一暑乾䌛成男巛䌛成女

今本作坤據經文訂正下同

乾知大始

釋文云大音泰王肅作泰案古泰字俱作大

巛化成物

釋文云坤作虞姚作坤化姚云化當爲作案漢書律

麻志引作坤作成物劉歆所據葢中古文所謂與費

氏合者也惠刻李鼎祚本作化云今本化爲作

乾以易知坤以簡能

釋文云能姚云當爲從葢據下文

易則易知簡則易從易知則有親易從則有功有親則可久有功則可大可久則賢人之德可大則賢人之業易簡而天下之理得矣天下之理得而易成位乎其中矣

今本脫易字釋文云馬王肅作而易成位乎其中案荀注云陽位成於五陰位成於二五爲上中二爲下中故曰成位乎其中矣成位其中亦指易言李鼎祚

本葢妄刪荀注易字惠刻集解據增
聖人設卦觀象繫辭焉而明吉凶
釋文云吉凶下虞本更有悔吝二字案荀注云因得
明吉因失明凶也不言悔吝是荀易無悔吝二字也
李鼎祚本亦無
剛柔相推而生變化是故吉凶者失得之象也
攷文引足利本是故作是以
悔吝者憂虞之象也變化者進退之象也剛柔者晝夜
之象也
釋文云虞作晝夜者剛柔之象案荀注云剛謂乾柔

謂坤乾爲晝坤爲夜晝以喻君夜以喻臣也荀所據
本葢作剛柔者晝夜之象李鼎祚本從荀不從虞
六爻之動三極之道也是故君子所居而安者易之序
也
釋文云易之序也陸云序象也京云次也虞本作象
虞翻云舊讀象作厚或作序非也今案序厚形似而
譌故序或作厚無緣而誤爲象也正義謂若居在乾
之初九而安在勿用若居在乾之九三而安在乾乾
是以所居而安者由觀易之位次序也最爲得之郎
君子思不出位之義

所樂而翫者爻之辭也

今本作所樂而玩釋文云樂虞本作變玩鄭作翫虞翻云爻者言乎變者也舊作樂字之誤案下句居則觀其象而翫其辭正承上二句而言至動則觀其變而翫其占始推言變占之旨虞改作變非是所變而翫詞意亦未安玩爲翫之假字荀子非十二子篇玩琦辭楊倞注云玩與翫同

是故君子居則觀其象而翫其辭

攷文引古本無君子二字

動則觀其變而翫其占是以自天右之

今本作祐據大有上九訂正集解本作右
吉无不利
攷文引古本利下有也字
彖者言乎象者也
攷文引古本象下衍日字
爻者言乎變者也吉凶者言乎其失得也悔吝者言乎
其小疵也
唐石經作存乎其小疵案正義云言說此卦爻有小
疵病也則孔所據本是言字
无咎者善補過也是故列貴賤者存乎位齊小大者存

乎卦

集解作大小據下文卦有小大則大小二字誤倒

辯吉凶者存乎辭

今本作辨集解作辯案文言釋文引馬云辯別也據此則古文葢俱作辯辯辨古通字

憂悔吝者存乎介震无咎者存乎悔是故卦有小大辭有險易

攷文引古本辭上有而字

辭也者各指其所之易與天地準故能彌綸天下之道

今本作彌綸天地之道釋文云彌本又作弥京云彌

遍綸知也王肅云綸纏裹也荀云彌終也綸迹也天下之道一本作天地之道案彌者镾之異文弥又彌之古體說文镾久長也京謂彌遍荀謂彌終皆引伸之義王氏引之云綸讀曰論淮南說山篇以小明大以近論遠高誘注云論知也古字多借綸爲論荀注云綸迹也亦謂蹤跡而知之召南羔羊傳云行可蹤迹也謂蹤跡之地官迹人注曰迹之言跡知禽獸處下文所言仰觀俯察之事正所謂知天下之道也

仰㠯觀亏天文頫㠯察亏地理

釋文云察一本作觀

是故知幽明之故原始及終

今本作反終釋文云反終鄭虞作及終案九家易云陰陽交合物之始也陰陽分離物之終也合則生離則死故原始及終故知死生之說是九家本亦作及

故知死生之說精气爲物游魂爲變是故知鬼神之情狀與天地相似故不違知周乎萬物而道濟天下故不過

釋文云道鄭云當作導案古導字多省作道顏師古漢書注云道讀曰導釋名云道導也不必破字

旁行而不流

釋文云流京作留流留古字通莊子天地篇留動而

生物釋文云留或作流詩旄邱流離之子郭璞爾雅注引作留離之子韓康伯注云應變旁通而不流淫也不流猶上文之不過謂不留止者非

樂天知命故不憂

釋文云樂天虞作變天案樂天改爲變天亦猶上文所樂而翫改爲所變而翫也變天二字不辭荀注云坤下有伏乾爲樂天乾下有伏巽爲知命是荀本作樂不作變

安土敦乎仁故能愛

愛爲㤅之假字

範圍天地之化而不過

釋文云範圍鄭云範法也馬王肅張作犯違張云犯違猶裁成也案範圍犯違同音相假列子湯問篇周犯三萬里殷釋文云犯一本作範漢書成帝紀大木十韋以上顏注云韋與圍同說文韋相背也即古違字九家易作範圍云範者法也圍者周也與鄭注同

曲成萬物而不遺通乎晝夜之道而知

攷文引古本乎作于釋文云知荀音智案集解引荀注云晝者謂乾夜謂坤也通於乾坤之道無所不知矣據此則背君讀知如字不讀智

故神无方而易无體一陰一陽㞢謂衜繼㞢者譱也成
㞢者性也仁者見㞢謂㞢仁知者見㞢謂㞢知百姓日
用而不知故君子㞢衜尟矣

今本作鮮釋文云鮮鄭作尟馬鄭王肅云少也案說
文尟是少也凡經典鮮罕鮮寡字皆叚此尟字

顯諸仁臧諸用

今本作藏釋文云鄭作臧云善也惠氏棟云說文無
藏字古藏字皆作臧漢書猶然下知以藏往劉瓛亦
作臧案臧與顯對文鄭訓臧爲善非也

鼓萬物而不與聖人同憂盛德大業至矣哉富有之謂

大業日新之謂盛德生生之謂易成象之謂乾
釋文云成象蜀才作盛象成盛同字鄭注考工記匠人白盛云盛之言成也荀子王覇篇以觀其盛者也楊倞注云盛讀爲成

爻法之謂巛
今本作效法釋文作爻法云胡孝反馬韓如字云放也蜀才作效案集解音訓俱作爻李鼎祚云爻猶效也

極數知來之謂占通變之謂事陰陽不測之謂神夫易廣矣大矣以言乎遠則不禦

攷文引古本乎作于下以言乎天地之閒則備矣而
易行乎其中矣竝同
吕言兮彌貺靜而正
釋文作迩云本又作邇音尒說文邇近也迩古文邇
吕言兮天地之閒貺備矣夫乾其靜也專
釋文云專陸作摶盧氏文弨云左氏昭二十年傳若
琴瑟之專壹亦作摶史記始皇本紀摶心壹志皆與
專同案說文嫥壹之嫥从女專聲專爲嫥之假字姚
輯陸易作顓與釋文異
其動也直是吕大生焉夫巛其靜也翕其動也闢是吕

廣生焉
漢書王莽傳春秋記地震易繫坤動動靜辟脅萬物生焉師古云辟讀曰闢開也脅收斂也易上繫之辭翕脅之聲相近義則同案此梁邱今文易也王莽之講大夫衛咸為梁邱易故莽所引易皆本之梁邱
廣大配天地
據豐初九遇其妃主則此配字鄭亦當作妃下同
變通配四時陰陽之義配日月易簡之善配至德子曰易其至矣乎
攷文引古本乎作于

夫易聖人所㠯崇德而廣業也知崇禮卑

釋文云知音智禮蜀才作體卑本又作埤案蜀才禮作體則知讀如字

崇效天卑法地天地設位而易行乎其中矣成性存存道義之門聖人有㠯見天下之賾

今本作賾釋文云九家作冊京作嘖云情也惠氏棟云經賾字皆當作嘖後漢范式碑云探嘖研機太元經云陰陽所以抽嘖嘖情也定四年左氏傳云嘖有煩言賈逵曰嘖至也正義云易繫辭云聖人有以見天下之嘖謂見其至深之處嘖亦深之義也是古皆

作嘖釋名云册嘖也是册與嘖通案徐鉉說文敘辨俗書譌謬不合六書之體者以嘖爲假借之字當通用嘖集韻引孔穎達說嘖或作噴通作嘖虞翻李鼎祚本皆作嘖

而擬諸其形容象其物宜是故謂之象聖人有以見天下之動而觀其會通以行其典禮

釋文云典禮京作等禮姚作典體等典聲之轉

繫辭焉以斷其吉凶是故謂之爻言天下之至嘖而不可惡也

釋文云惡於嫁反荀作亞亞次也又烏路反馬鄭烏

洛反並通惠氏棟云古亞字皆作惡尚書大傳曰王
升舟入水鼓鐘惡觀臺惡將舟惡宗廟惡鄭康成注
云惡讀爲亞秦惠王詛楚文云告于丕顯大神亞駝
禮記禮器作惡駝宋時有玉印曰周惡父印劉原父
以爲卽條侯亞父史記盧綰孫他之封惡谷侯漢書
作亞谷是惡皆讀爲亞荀氏以惡爲亞訓爲次是也
至嘖故不可次至動故不可治亂治也擬諸其形容
所以次之也觀其會通以行其典禮所以治之也故
云極天下之嘖者存乎卦鼓天下之動者存乎辭
苦天下至嘖而不可亂也

釋文云言天下之至動而不可亂也衆家本並然鄭本作至嘖云嘖當爲動九家亦作冊案虞翻亦云動舊誤作嘖鄭君不輕改字而注云當爲動諸家則竟以爲誤字而易之說文敍亦作知天下之至嘖而不可亂也葢今古文皆作嘖

擬之而後言議之而後動

釋文云議之陸姚桓元荀柔之作儀之案雅雨堂本釋文陸字誤作鄭經義攷亦引爲鄭義據音訓所引釋文葢作陸績不作鄭也

擬議以成其變化鳴鶴在陰其子和之我有好爵吾與

爾靡之

釋文云靡本又作縻京作劘說見中孚九二

子曰君子居其室出其言善則千里之外應之況其邇者乎居其室出其言不善則千里之外違之況其邇者乎

攷文引古本乎作于下出乎加乎發乎見乎愼乎竝同

言出乎身加乎民

說苑引作言出於身加於民

行發乎邇見乎遠言行君子之樞機樞機之發榮辱之

主也言行君子之所以動天地也可不愼乎同人先號咷而後笑子曰君子之道或出或處或默或語

釋文云默字或作嘿嘿爲默之或體

二人同心其利斷金同心之言其臭如蘭初六藉用白茅无咎子曰苟錯諸地而可矣

釋文云錯本亦作措錯者措之假字

藉之用茅何咎之有愼之至也夫茅之爲物薄而用可重也愼斯術也以往

釋文云愼時震反鄭干同一本作順晁氏云順愼多誤

其无所失冥

集解本无誤無

勞謙君子有終吉子曰勞而不伐有功而不置

今本作德釋文云德鄭陸蜀才作置鄭云置當爲德

案古德字作悳與置形近古書二字多相亂大戴記

哀公問五義篇躬行忠信其心不置荀子哀公篇作

言忠信而心不德文王官人篇有知而不伐有施而

不置逸周書置作德王氏念孫云置讀爲德謂古字

通

厚之至也語曰其功下人者也德言盛禮言恭謙也者

𢻫恭㠯存亓位者也亢龍有悔子曰貴而无位高而无

民賢人在下位而无輔是㠯動而有悔也不出戶庭无

咎子曰亂之所生也則言語㠯爲階

釋文云階姚作機音轉而誤

君不密則失臣臣不密則失身幾事不密則害成是㠯

君子慎密而不出也子曰爲易者亓知盜乎

今本爲作作釋文云爲易者本又云作易者案虞翻

李鼎祚作爲易者

易曰負且乘致寇至

釋文云寇徐或作戎宋衷云戎誤

負乘者小人之事也乘者君子之器也小人而乘君
子之器盜思奪之矣上慢下虣
據下文曰待虣客之虣則此文暴字鄭本亦當作虣
後人據今文改暴非也
盜思伐之矣慢臧誨盜
今本臧作藏藏俗字釋文云誨虞作悔謂悔恨下同
與諸家異義後漢書崔駰傳云睹嫚藏而乘釁兮李
賢注引易曰嫚藏誨盜據此則篆之易林蓋作嫚也
野容誨淫
今本作治容釋文云鄭陸虞姚王肅作野言妖野容

儀教誨淫泆也惠氏棟云列女傳華孟姬從車奔姬
墮使侍御者舒帷以自障蔽曰妾聞野處則帷裳擁
蔽所以正心一意自斂制也頌曰孟姬好禮執節甚
公避嫌遠別終不冶容疑古本亦作野後人以俗傳
易經竄易之耳後漢書崔駰傳犯孔戒之冶容李賢
注引鄭云飾其容而見于外曰冶盖據篆文改鄭注
也今案冶野同音相假又通作蠱後漢書張衡傳思
元賦云咸姣麗以蠱媚兮李賢注云蠱音野馬融傳
注則云蠱與冶通故太平廣記又引易作蠱容文選
西京賦妖蠱豔夫夏姬南都賦侍者蠱媚五臣注俱

作冶慧琳一切經音義引淫作婬婬淫通字
易曰負且乘致寇至盜之招也大衍之數五十其用四
十有九分而爲二以象兩挂一以象三
今本作掛案掛俗字說文挂縣也特牲饋食禮挂于
季指鄭注云古文挂作卦釋文謂再扐後掛之挂京
本作卦則此文掛字京亦當作卦
揲之以四以象四時歸奇于扐以象閏五歲再閏故再
扐而後挂
釋文云掛京作卦云再扐而後布卦說文扐下引易
簭再扐而後卦許與京孟皆從孟氏今文也乾鑿度

亦作卦

天一地二天三地四天五地六天七地八天九地十

今本天一至地十二十字錯簡在易有聖人之道四焉者此之謂也下案漢書律麻志先言大衍之數下卽引此二十字於天數五地數五之上文義最明劉歆所據中古文本蓋如是所謂與費氏經合者也衛元嵩元包運蓍篇引此亦在天數五之上音訓謂程氏張氏並云自天一至地十合在天數五上本義從程氏之說移天一地二一節於天數五之上而大衍一節乃移於天數五一節之下尚未盡合古文次第

天數五地數五五位相得而各有合天數二十有五地數三十

唐石經二十作廿三十作卅下同

凡天地之數五十有五此所以成變化而行鬼神也乾之策二百一十有六

釋文云策亦作筴筴俗字惠刻集解改作冊

巛之策百四十有四凡三百有六十當期之日

釋文云期本又作朞同

二篇之策萬有一千五百二十當萬物之數也是故四營而成易十有八變而成卦八卦而小成引而信之

今本作伸釋文云伸本又作信惠氏棟云信古文伸
下繫來者信也以求信也皆從古文獨此從俗蓋唐
以後亂之詩正義引此亦作信

觸類而長之天下之能事畢昊顯䢜神德行是故可與
醻酢

釋文云酢京作醋案說文酢醶也從酉乍聲醋客酌
主人也從酉昔聲今經典逼以酢爲醋以醋爲酢二
字互易如種種之比

可與侑神昊

今本作祐釋文云祐馬云配也荀作侑案說文姷偶

也從女有聲讀若祐重文侑云婧或从人今經典通用侑酳用婧者馬以為配與說文同訓其字葢亦作侑儀禮有司徹右几鄭注云右文右作侑葢今文作右而變為祐古文則作侑也

子曰知變化之道者其知神之所為乎易有聖人之道四焉

釋文云聖人之道明僧紹作君子之道

以言者尚其辭

釋文云以言者下三句無以字一本四句皆有案李鼎祚本皆有以字

㠯動者尚其變㠯制器者尚其象㠯卜筮者尚其占

說文簭易卦用蓍也从竹䇹䇹古文巫字案說文筮

噬俱從筮聲是說文原有筮字重文偶脫耳䇹爲古

文巫則巫爲籀文䇹不言可知

是㠯君子將有爲也將有行也問焉而㠯言其受命也

如響

今本作嚮釋文云嚮又作響案漢書藝文志引作嚮

嚮俗字唐石經及岳本宋本注疏俱作響六帖三十

一卜筮門引亦作響攷文引古本足利本同

无有遠近幽深

漢書藝文志引作無有無今文

遂知來物非天下之至精其孰能與於此參五㠯變

今本作參伍漢書律厤志引作參五集解亦作五

錯綜其數

文選江賦李善注引作錯綜羣數

通其變遂成天地之文

釋文云天地之文一本作天下虞陸本作之爻案虞翻云物相雜故曰文是虞本作文不作爻也漢書律厤志據中古文易正作天地之文王昭素云諸本多作天下之文

極其數遂定天下之象非天下之至變其孰能與於此
易无思也无爲也寂然不動感而遂通天下之故非天
下之至神其孰能與於此夫易聖人之所以極深而研
機也

釋文云研蜀才作揅同字鄭荀本俱作研釋文云幾
本或作機機鄭云機當作幾幾微也惠氏棟云幾古文
作機鄭讀爲幾後人從鄭讀改爲幾唯鄭康成不輕
改字經傳中應讀某字者悉具于隨讀改字經中無
徑改者愼之至也魏之王輔嗣晉之杜元凱凡應讀
之字直改經文不復注釋故易經左傳之古文皆亡

于王杜後人不攷及此反議康成爲多改字無識之甚也案幾機古字通用不必破字書皐陶謨一日二日萬幾漢書王嘉傳作一日二日萬機公羊定元年晉人執宋仲幾于京師釋文云本或作機幾機盖同音相假也此與屯六三君子幾不如舍之幾鄭作機者正同幾今文機古文范式碑云探賾研機盖用古文

唯深也故能通天下之志唯機也故能成天下之務唯神也故不疾而速不行而至子曰易有聖人之道四焉者此之謂也子曰夫易何爲者也

集解作夫易何爲而作也案釋文不言諸家有異
同
夫易開物成務
釋文云一本無夫易二字開王肅作闓音同說文闓
開也從門豈聲元應一切經音義十三引聲類云闓
亦開字
冒天下㞢道如斯而已者也是故聖人㠯通天下㞢志
㠯定天下㞢業㠯斷天下㞢疑是故蓍㞢德圓而神
釋文云圓本又作員音同晁氏云員古文案考工記
輪人取諸圜也司農注云故書圜或作員圜與圓同

詩元鳥傳云員均也亦以員爲圓員者古文之省

卦㞢德方㠯知中爻㞢義易㠯功

今本作貢釋文云貢告也京陸虞作工荀作功王氏引之云爾雅功成也管子五輔篇士修身功材莊子天道篇帝王無爲而天下功皆謂功爲成六爻之義剛柔相易乃得成爻所謂道有變動故曰爻也故曰六爻之義易以功作工作貢皆借字耳案周禮肆師凡師不功鄭注云故書功爲工鄭司農云工讀爲功書臯陶謨天工人其代之漢書律麻志作天功益稷苗頑弗卽工史記夏本紀作不卽功鄭謂工功同字

蓋今文作工古文作功也自晉魏後始假貢爲之韓
注以貢爲告字義皆不師古
聖人㠯此先心
今本作洗釋文云洗京荀虞董張蜀才作先后經同
案虞翻注云聖人謂庖犧以著神知來故以先心又
注神以知來云來謂先心班固通幽賦神先心以定
命義卽本此前漢百官公卿表庶子先馬如淳云前
驅也國語句踐親爲夫差先馬先或作洗其誤正與
此同據荀本則費氏古文作先據后經則三家今文
亦作先也改先爲洗自王肅韓康伯始

復臧亏密

今本作藏藏俗字

吉凶與民同患神㠯知來知㠯臧往

今本作藏釋文云藏劉作臧善也案臧讀爲藏

其孰能與此哉

集解此上有於字注疏本或亦有於字案唐石經釋文俱作與此正義云其孰能與此哉者言誰能同此也是孔所據本無於字

古㞢聰明叡知神武而不殺者夫昰㠯明亏天㞢道而察亏民㞢故昰興神物㠯歬民用聖人㠯此齊戒㠯神

明其德夫

釋文云荀虞顧夫字絕句衆皆㠯夫字爲下句一本無夫字

是故闔戶謂之巛闢戶謂之乾一闔一闢謂之變往來不窮謂之通見乃謂之象形乃謂之器制而用之謂之法利用出入民咸用之謂之神是故易有大極

注疏本大或作太釋文云大音泰古祇作大

是生兩儀兩儀生四象四象生八卦八卦定吉凶吉凶生大業是故法象莫大乎天地變通莫大乎四時縣象著明

慧琳一切經音義十引作玄象著明誤字
莫大乎日月崇高莫大乎富貴備物致用立成器㠯為
天下利
本義云立下疑有闕文惠氏棟云荀悅漢紀引易云
立象成器前漢書翟義傳云備物致用立功成器以
為天下利故云立下有闕文愚謂成器謂网罟耒耜
之屬管子七法篇曰成器不課不用立下不當有闕
文
莫大乎聖人探賾索隱
今本作賾釋文云賾九家作册說見前

鈎㴱斁遠㠯定天下㞢吉凶成天下㞢亹亹者
說文無亹字徐鉉以娓易亹惠氏棟從之其校集解
及自爲周易述皆用娓娓識者譏之段氏玉裁朱氏
駿聲皆以亹爲釁之譌體釁與勉沒音轉字故鄭氏
詩箋曰勉勉易注曰沒沒案東京賦巨猾閒亹薛綜
注云亹隙也此以亹爲釁隙之釁與此誤正同周禮
鬯人鄭眾注云釁讀爲徽徽從微聲故玉篇云亹亹
猶微微也釁微亦一聲之轉定八年公羊傳注漢書
藝文志亦引作亹亹慧琳一切經音義八十引劉瓛
易注作亹亹

莫譱兮蓍龜

今本作莫大釋文作莫善云本亦作莫大惠氏棟云何休注公羊漢書藝文志皆作莫善儀禮疏同釋文是也王氏念孫云本亦作莫大者涉上文五莫大而誤自唐石經始定從大字而各本皆從之白虎通義蓍龜篇家語禮運篇注引此皆作善羣書治要後漢書方術傳注文選廣絕交論注鈔本北堂書鈔藝文部一白帖三十一引此亦作善又北堂書鈔藝文部三引舊注云唯蓍龜最爲妙善宋本周易正義亦作善今本作大者後人依唐石經改之曲禮正義引易

作大亦後人所改案慧琳一切經音義九十七引作
莫見乎著龜見善音譌字
是故天生神物聖人則之天地變化聖人效之天垂象
見吉凶聖人象之河出圖洛出書
釋文云洛王肅作雒漢家以火德王故從各隹漢書
藝文志亦引作雒雒今文也
聖人則之易有四象所以示也繫辭焉所以告也定之
以吉凶所以斷也易曰自天右之
今本作祐惠刻集解作右下同
吉无不利子曰右者助也天之所助者順也人之所助

者信也履信思順有以尚賢也

今本作又釋文云又以鄭本作有以古書又字皆作

有詩箋云有又也

是以自天右之吉无不利也

本義以此節釋大有爻義在此无所屬或恐是錯簡

案自夫易何爲者也至此皆言卜筮之道而卜筮之

所以得吉而无不利者則在有履信思順尚賢之德

乃能得天人之助故引大有上九爻辭以終卜筮教

人之義與上章引大有上九爻辭意正同本非錯簡

晁氏呂氏不得其解乃以此節單爲一章皆不知文

事者也

子曰書不盡言言不盡意然則聖人之意其不可見乎子曰聖人立象以盡意設卦以盡情偽繫辭焉以盡其言變而通之以盡利鼓之舞之以盡神乾坤其易之縕邪

唐石經初刻作蘊後改縕案縕者薀之假字虞翻本作韞韞薀今字

乾坤成列而易立乎其中矣乾坤毀則无以見易易不可見則乾坤或幾乎息矣是故形而上者謂之道形而下者謂之器化而裁之謂之變推而行之謂之通舉而

錯之天下之民

釋文云錯本又作措陸績李鼎祚作措古書多假錯
為措

謂之事業是故夫象

音訓云是故夫象四字衍文案夫象二字疑衍

聖人有以見天下之賾

釋文云之賾本亦作之至賾攷文引古本有至字案
慧琳一切經音義卷三十一卷一百俱引作聖人有
以見天下之至賾

而擬諸其形容象其物宜是故謂之象聖人有以見天

下之動而觀其會通以行其典禮繫辭焉以斷其吉凶
是故謂之爻極天下之賾者存乎卦鼓天下之動者存
乎辭化而裁之存乎變
釋文云裁本又作財惠刻集解遂並上文裁字俱改
財財今文裁古文說見泰象傳
推而行之存乎通神而明之存乎其人默而成
今本成下有之字釋文云默而成本或作默而成之
晁氏云九家无之字
不言而信存乎德行
費氏周易卷七終　鎮南劉樾正字　華陽馮廉覆勘　資陽伍盩斠刻

# 費氏古易訂文 卷八

新城王樹枏

## 繫辭下

八卦成列象在其中矣因而重之爻在其中矣剛柔相推變在其中矣繫辭焉而命之

釋文云命孟作明明命同音字明今文命古文攷文引古本作繫辭而命之

動在其中矣吉凶悔吝者生乎動者也剛柔者立本者也變通者趣時者也吉凶者貞勝者也

釋文云貞勝姚本作貞稱案文選演連珠是以物勝

權而衡殆李善注云勝或爲稱稱亦勝也

天地㞢䌛貞觀者也日月㞢䌛貞明者也天下㞢動貞

夫一者也

攷文引古本夫作於案以上四貞字俱應從鄭司農

注師貞丈人吉之貞貞問也通就占筮言

夫乾隺然示人易矣

今本作確釋文云確然馬韓云剛皃說文云高至案

說文有隺無確隺下云高至也從隹上欲出冂易曰

夫乾隺然今陸氏祇引說文訓釋而不言字之異同

蓋陸所據本作隺故不復出之今則爲俗人所改加

后爲䧢遂與注所引說文不合矣慧琳一切經音義
卷四十九卷五十一引作䧢然鄭烈碑同
夫巛隤然示人簡矣
釋文云隤馬韓云柔皃也孟作退陸董姚作妥王氏
引之云隤退妥三字同義爾雅釋文妥孫他果反郭
他回反又他罪反他回他罪之聲正與隤退相近故
鄭注檀弓亦云退或爲妥爾雅云妥安止也妥安坐
也與虞翻隤安之訓同檀弓文子其中退然如不勝
衣鄭注云退柔和皃也與馬韓隤柔之訓同柔與安
亦同義爾雅云柔安也惠氏周易述定從妥字以爲

陰動而退故曰退然失之後漢書黃憲傳論李賢注
引易亦作隤然云隤柔順皃案說文隤下隊也下隊
正與高字反對而許不引易者孟易作退故畧之
爻也者效此者也象也者像此者也
唐石經初刻作象此後加人旁
爻象動乎內吉凶見乎外功業見乎變聖人之情見乎
辭天地之大德曰生聖人之大寶曰位
釋文云寶孟作保案古書多假保爲寶史記周本紀
展九鼎保玉徐廣云保一作寶魯周公世家無墜天
之降葆命樂書天子之葆龜也畱侯世家取而葆祠

之徐廣云史記珍寶字皆作葆李氏鏡銘明如日月世之保亦卽寶字保今文寶古文

何㠯守位曰人

今本作仁釋文作人云王肅卞伯玉桓元明僧紹作仁案漢書食貨志引易作何以守位曰仁後漢書蔡邕傳釋誨云蓋聞聖人之大寶曰位故以仁守位以財聚人風俗通過譽篇云易稱守位以仁張平子東京賦亦云守位以仁蔡邕等所據蓋三家之易今文也陸氏所據馬鄭古文也王氏困學紀聞引本義作人今本亦改爲仁

何㠯聚人曰財理財正辭禁民爲非曰義古者包犧氏
之王天下也
釋文云包本又作庖鄭云取也孟京作伏犧又作羲
鄭云鳥獸全具曰犧孟京作戲云伏服也戲化也臧
氏庸云孟京作伏今文易也兩漢人所引今文易爲
多風俗通三皇篇云易稱古者伏羲氏之王天下也
正同京氏易下引包犧氏沒亦作伏羲氏而鄭王等
古文易則作包案乾鑿度白虎通俱引作伏羲氏漢
書藝文志引作宓戲氏釋文敘目作宓犧氏說文敘
作庖犧氏而䝼下又曰讀若易虙羲氏皆無一定之

文初學記武部藝文類聚帝王部太平御覽皇王部
俱引作庖犧作庖犧者虞翻易也
仰眂觀象亏天頫眂觀法亏地
漢書藝文志引無兩則字釋文敘目引作仰則觀於
天文俯則察於地理皆隨文刪改惟說文敘所引與
古本同後漢書荀爽傳引作俯則察法於地此行文
點竄之常非荀君所據古文作察也
觀鳥獸㞢文
說文敘作視鳥獸之文荀爽傳作覿鳥獸之文皆隨
文變易不足爲據御覽引觀上有中字

與地之宜

晁氏云王昭素謂印本地上脫一天字諸本多有案漢書藝文志說文敘釋文敘目俱與古本同司馬貞史記補引此亦無天字惟御覽引作與天地之宜易說云吾聞有地宜未聞有天宜

近取諸身遠取諸物於是始作八卦以通神明之德以類萬物之情作結繩而爲罟

今本罟上有罔字釋文出爲罟云罟音古馬姚云猶网也黃本作爲网罟云取獸曰网取魚曰罟案虞翻李鼎祚皆無网字音訓亦云爲罟今本作爲网罟案

說文云网庖犧氏所結繩㠯田㠯漁也网者罟之大
名故述結网之始於网下不於罟下非孟易有网字
也據馬虞之易知今古文皆作爲罟魏晉以後始增
网字於是唐宋以後諸易及類書稱引者皆作網罟
無復知古易之作爲罟矣獨慧琳一切經音義七十
四引作結繩爲罟此古本之僅存者王氏念孫謂作
結繩之作涉上文作字而衍據桓四年公羊傳注潛
夫論五德志篇風俗通義皇霸篇乾鑿度吳都賦注
北堂書鈔藝文類聚初學記太平御覽衆經音義爲
證案作者興起開創之義故毛詩傳云作始也結繩

爲罟包犧創始故云作結繩而爲罟孔氏正義及唐石經俱有作字稱引者隨文刪減原無定例若以此爲足據則潛夫論所引結繩爲網以漁將據此而刪以田二字乎古義之亡正在此等言之不可不愼也

吕佃吕獵

釋文云佃本亦作田漁本亦作魚馬云取獸曰佃取魚曰漁案虞翻云巽爲魚坤二稱田是虞所據孟易作田魚今文也馬所據費易作佃漁古文也何休公羊傳注引作田魚從今文易也應劭風俗通義徐堅初學記引作佃漁從古文易也乾鑿度藝文類聚慧

琳一切經音義太平御覽俱作畋漁田佃畋通字

葢取諸離包犧氏沒神農氏作斲木爲梠

今本作斲木爲耜皆俗字說文梠臿也從木㠯聲或

從里作梩慧琳一切經音義八十引作揉木爲梠揉

字雖誤而梠則仍是古文也

煣木爲耒

今本作揉說文無揉字火部煣屈申木也從火柔聲

漢書食貨志引作煣木爲耒耒揉爲後出之字釋文云

本或作揉木爲之耒耨非唐宋類書俱引作揉木爲

耒

耒耨㞢耜

今本作耨說文無耨字木部槈薅器也從木辱聲鎒

或作從金耨後出之字王昭素云諸本或作耜乃合

上文案釋文云耨馬云鉏也孟云耘除草是今古文

皆作槈不作枱

以敎天下葢取諸益日中為市致天下㞢民聚天下㞢

貨交易而退各得其所葢取諸噬嗑神農氏沒黃帝堯

舜氏作通其變使民不倦神而化㞢使民宜㞢易窮則

變變則通通則久

釋文云一本作易窮則變通則久臧氏庸云變則通

三字當衍經本以窮通相對無須變則通三字在中
爲過渡聯綴之文集解雜卦傳引干寶曰化而裁之
存乎變是以終之以夬言能決斷其中唯陽德之主
也故曰易窮則變通則久又唐趙蕤長短經是非篇
是曰君子固窮小人窮斯濫矣非曰易窮則變通則
久是以自天祐之吉無不利此兩引皆與陸氏所言
合案集解正義所據本皆有變則通三字

是㠯自天右也

今本作祐釋文云祐本亦作佑說見前

吉无不利

唐石經利下有也字李氏集解及攷文引古本同

黄帝堯舜垂衣裳而天下治葢取諸乾巛刳木爲舟

釋文作挎云本又作刳案惠刻集解改刳爲挎說文無挎字刀部刳判也慧琳一切經音義四十六藝文類聚七十一太平御覽七百六十八俱引作刳

剡木爲楫

釋文作掞云本亦作剡楫本作檝案惠刻集解改剡爲掞文選長笛賦剸掞度擬李善注云掞與剡音義同掞後出之字藝文類聚太平御覽俱引作剡木爲檝檝亦後出慧琳一切經音義三十一引此句與古本同

肖楫㞢利吕濟不通致遠吕利天下

釋文云一本無致遠以利天下案九家易云乾爲遠天故致遠以利天下矣是九家本有此句也

葢取諸渙服牛椉馬

說文犕下引易作犕牛乘馬段氏玉裁云服犕皆扶逼反以車駕牛馬之字當作犕作服者假借耳左傳王使伯服如鄭請滑史記鄭世家作伯犕後漢書皇甫嵩傳義眞犕未乎北史魏收嘲陽休之義眞服未正作服字皆通用之證也案犕今文服古文

引重致遠吕利天下

釋文云一本無以利天下一句案正義云服牛以引
重乘馬以致遠是以人之所用各得其宜故取諸隨
也不疏以利天下句似孔所據無此四字集解本有
之太平御覽八百九十三亦引有此句
蓋取諸豫重門擊㯞
今本作柝釋文云柝馬云兩木相擊以行夜說文作
㯞案說文兩引此句㭾下云判也從木㡿聲易曰重
門擊㭾㯞下云行夜所擊木從木橐聲易曰重門擊
㯞案㯞正字㭾假字柝又㭾之變體周禮多古文而
修閽氏挈壺氏字俱作㯞可知㯞爲古文也獨宮正

夕擊柝而比之作柝而司農引易亦作柝葢後人據今字改之慧琳一切經音義卷五十二卷九十七俱引作㯻據此知慧琳所據古本尚有作㯻者

㠯待虣客

今本作暴釋文云暴鄭作虣惠刻集解據以改虣案絫釋載樊毅修華嶽碑云誅强虣則漢時已有此字李善蕪城賦注引字書云虣古文暴字周禮胥師司虣司市以刑罰禁虣而去盜字皆作虣惟秋官禁暴氏字作暴葢後人據今文改之也宮正疏引鄭注虣亦改暴慧琳一切經音義五十一引作以禦暴客

蓋取諸豫斵木爲杵

慧琳一切經音義四十九引作斫木爲杵

掘地爲臼

惠刻集解掘作闕吳語闕爲石郭韋昭注云闕穿也

古書往往以闕爲掘而此則無所據也

臼杵业秎萬民㠯濟蓋取諸小過弦木爲弧剡木爲矢

弧矢业秎㠯威天下蓋取諸睽上古穴居而野處後世

聖人易业㠯宮室上棟下宇㠯待風雨

慧琳一切經音義三十二引作以禦風雨

蓋取諸大壯古业葬者厚衣业㠯薪葬业中野不封不樹

虞翻云穿土稱封封古窆字也聚土爲樹鄭司農謂
窆封堋三字音相似故互轉爲訓古義皆以爲下棺
非穿土之名也據鄭君周禮冢人禮記檀弓注鹽鐵
論散不足篇所言古者不封不樹之義白虎通義所
引含文嘉太平御覽所引禮統知封謂爲墳樹爲植
木自漢以來相傳之師說皆如此虞說顯與古義違
失不合王氏引之云王制庶人縣封不爲雨止不封
不樹鄭注云縣封當爲縣窆至卑不得引緋下棺封
爲聚土爲墳不封之不樹之又爲至卑無飾也是縣
封之封爲古窆字不封不樹之封則聚土爲墳也若

如虞注則不封爲不窆與上文縣窆相牴矣惠氏棟從虞氏之說謂今讀易者封皆作府容切失之殊爲失考

喪期无數後世聖人易㞢㠯棺槨蓋取諸大過上古結繩而治後世聖人易㞢㠯書契

慧琳一切經音義四十九引作上古結繩以治後代聖人易之以書契枼代字避諱改

百官㠯治萬民㠯察

說文敘作百工㠯乂萬品㠯察

蓋取諸夬是故易者象也象也者像也

釋文云衆本並云像擬也孟京虞董姚還作象案象今文像古文崔憬李鼎祚亦從今文作象后經初刻象後改像

彖者材也

說文彖豕走也從彑從豕省案玉篇引說文彖豕走挩也此古本說文與廣雅合廣雅釋言云彖挩也彖挩之訓即本之說文挩字聲兼義今本脫去挩字而彖字之古音遂不可知儀禮喪大記襐衣鄭注云字或作稅即雜記之稅衣此彖兌同音之證蠡喙㒃等字皆從此聲若劉瓛訓彖爲斷讀通貫切則挩音之

轉緣篆瑑等字從之佘古韵例所謂古字有二音者此也阮氏元拘於通貫切之彖因改說文豕走挩也之彖爲彖彖以牵合彖字之弛音不知彖彖古皆同部而彖又有通貫切之一音也彖者材也與爻者效也象者像也皆音訓相兼可爲說文讀彖爲挩之證

爻毛皆效天下之動皆毛是故吉凶生而悔吝著毛陽卦多陰陰卦多陽其故何毛陽卦奇陰卦耦

耦本義作偶案唐以上易家皆作耦偶俗借也

其德行何毛陽一君而二民君子之道毛陰二君而一民小人之道毛易曰憧憧往來

釋文云憧本又作𢝦說見咸九四

𠌾𠓜爾恖孓曰天下何恖何慮天下同歸而殊𣥺一致而百慮天下何恖何慮日往則月來月往則日來日月相推而明生焉寒往則暑來暑往則寒來寒暑相推而歲成焉往者詘也

今本作屈案古文屈伸字皆作詘信凡作屈伸者後人據今文改之也荀易作詘信

來者信也

釋文云信本又作伸同音申下同韋昭漢書音義云古伸字

詘倨相感而利生焉尺蠖㞢詘㠯求倨也
慧琳一切經音義七十二引作蚇蠖之屈以求伸也
龍蛇㞢蟄
釋文云蛇本又作虵同案蛇字本作它說文它虫也從虫而長象冤曲垂尾形上古艸尻患它故相問無它乎是它之爲蛇形義已具後乃別制蛇字以別於它古人實一字也漢時蛇它已爲二義故許氏引古語以明之無它之義猶風俗通所謂恙蟲能食人心古者草居多被此毒故相問勞曰無恙也一切經音義十一引作虵虵緐變之字石經初刻作虵後改蛇

㠯全身也

釋文云全身本亦作存身音訓云全身今本作存身

說文仝完也從入從工篆文全从王今經典字皆用

史籀篆文

精義入神㠯致用也利用安身㠯崇德也過此㠯往

攷文引古本作過此而以往

未之或知也窮神知化德之盛也易曰困于石據于蒺

黎人于其宮不見其妻凶子曰非所困而困焉名必辱

非所據而據焉身必危旣辱且危死其將至

今本作死期釋文云其亦作期董氏眞卿云其讀爲

期集解引陸績俱作其案春秋邾庶其漢書地理志

　作期二字古葢通借

妻其可得見邪易曰公用躬隼亐高墉㞢上獲㞢无不

秝子曰隼者禽也弓矢者器也躬㞢者人也君子臧器

亐身

　今本臧作藏

待時而動何不秝㞢有動而不捪

　今本捪作括

是吕出而有獲

攷文引古本獲下衍何字

語成器而動者也子曰小人不恥不仁不畏不義不見利不勸

集解引虞翻勸作動云震爲動郭京亦作動

不威不徵

今本作懲惠刻集解改作徵下同案徵古文懲字據損象傳徵忿懫欲則此亦當爲徵也

小徵而大戒

今本作小懲而大誡惠刻集解作小徵而大戒石經初刻作戒後改誡據泰六四不戒以孚則此作誡者後人改之也

此小人㞢福也

說苑指武篇引易曰不威小不懲大此小人之福也

與今文不同

易曰屨校滅止无咎

注疏本屨或作履誤釋文云止本亦作趾趾俗字

此㞢謂也譱不積不足㠯成名惡不積不足㠯滅身小

人㠯小譱爲无益而弗爲也㠯小惡爲无傷而弗去也

故惡積而不可揜

注疏本揜或作掩虞翻李鼎祚本作弇說見困彖傳

罪大而不可解易曰何校滅耳凶

攷文引古本何作荷

子曰危者安其位者也亾者保其存者也亂者有其治者也是故君子安而不忘危存而不忘亾治而不忘亂是以身安而國家可保也易曰其亾其亾繫于苞桑

苞本作包石經初刻作包後改苞說見否九五

子曰德薄而位尊知小而謀大

漢書敘傳云錯之瑣材智小謀大師古注引易亦作智今字惠刻集解改小爲少云今本作小案小大對文虞翻云兑爲小知乾爲大謀惠據下句力少之少並此而改之失其實矣

力少而任重

今本作力小唐石經及李鼎祚皆作力少錢氏大昕云後漢書朱馮虞鄭周傳贊注引易與石經同三國志王脩傳注引魏畧力少任重北宋景祐本漢書王莽傳自知德薄位尊力少任大今本少亦作小王氏念孫云少小形聲相似又涉上句知小而誤集解引虞翻注云五至初體大過本末弱故力少也又潛夫論貴忠篇及羣書治要顏師古漢書敘傳注引易並作力少而任重明徐禎本鹽鐵論毀學篇故德薄而位高力少而任重鮮不及矣卽本繫辭傳文荀子儒

效篇是猶力之少而任重也淮南主術篇夫舉重鼎者力少而不能勝也晉書山濤傳亦曰德薄位高力少任重案爾雅釋木舍人注云小少也曾子制言篇少者友焉羣書治要少作小二字義同互借

尟不及矣

今本作鮮釋文云尟本亦作鮮案尟古文虞翻李鼎祚俱作尟

易曰鼎折足覆公餗

釋文云餗馬作粥說見鼎九四

其刑剭凶

今本作其形渥凶說見鼎九四

言不勝其任也子曰知幾其神乎君子上交不諂下交不瀆

慧琳一切經音義卷十九卷三十一俱引作下交不嬻

其知幾乎幾者動之微吉凶之先見者也

今本無凶字正義云諸本或有凶字定本則无案漢書楚元王傳引作吉凶之先見者也韓康伯云合抱之才起於毫末吉凶之彰始乎微兆是韓本亦有凶字孔氏曲爲之說

君子見幾而作不俟終日易曰介于石

今本作介釋文云介衆家作砎今從馬易說見豫六

二

不終日貞吉介如石焉寧用終日斷可識矣君子知微

知彰

惠刻集解彰作章案文選西征賦引周易注云知微

謂幽昧知章謂明顯也字亦作章

知柔知剛萬夫之望子曰顏氏之子其殆庶幾乎有不

善未嘗不知

攷文引古本不知下有也字

知之未嘗復行也易曰不遠復无祇悔元吉天地烟煴
今本作絪縕釋文云絪縕本又作氤氳案說文無絪
字壺部壹下云壹壺也從凶從壺不得泄也引易曰
天地壹壺惠氏棟云張有復古編曰壹從壺吉於悉
切壺從壺凶於云切別作氤氳又作絪縕並非汗簡
曰古周易縕作壺晁氏以絪縕爲古文失之今謂古
易本作烟煴說文煴鬱煙也文選思元賦云天地烟
煴典引云烟烟煴煴魯靈光殿賦云含元氣之烟煴
韓康伯注精氣爲物云精氣烟煴聚而成物字皆作
烟煴李善注思元賦引易亦作天地烟煴烟煴壹壺

聲轉而變史記賈生傳獨堙鬱兮其誰語漢書作壹鬱是煙與壹聲轉也漢朱龜碑星精壹縕是煴與壺聲轉也壹壺者孟氏之今文烟煴者費氏之古文絪縕氤氳皆當時之變體

萬物化醇男女覯精

今本作構或從手旁作搆案鄭君詩草蟲箋引此作覯精正義引易注云覯合也男女以陰陽合其精氣據此則古文作覯作構者今文也

萬物化生

攷文引古本萬上有而字

易曰三人行則損一人一人行則得其友言致一也子
曰君子安其身而後動易其心而後語定其交而後求
君子脩此三者故全也危以動則民不與也
　舉正與作輔
懼以語則民不應也无交而求則民不與也莫之與則
傷之者至矣易曰莫益之或擊之立心勿恆凶子曰乾
坤其易之門邪
　釋文云本又作門戶邪案荀注云陰陽相易出於乾
　　坤故曰門則荀所據費本無戶字
乾陽物也坤陰物也陰陽合德而剛柔有體以體天地

㞢撰㠯誦神明㞢德其偁名也襍而不越
說文𨒅下引易襍而不𨒅𨒅越音義俱同𨒅孟氏今
文越費氏古文
於稽其類其衰丗㞢意邪夫易彰往而察來
惠刻集解彰作章
而微顯闡幽
本義云而微顯恐當作微顯而案漢唐諸家皆不以
為誤
開而當名辯物正言
今本作辨集解釋文俱作辯

斷辭斯備矣其偁名也小其取類也大其旨遠其辭文
其言曲而中其事肆而隱因貳以濟民行
釋文云貳音二鄭云當爲式虞注貳謂乾坤韓注貳
謂失得皆與鄭讀同今謂貳讀如周語事成不貳之
貳韋昭注云貳變也詩都人士序衣服不貳鄭箋云
變易無常謂之貳因謂不變貳謂變有不宜變者則
因之有宜變者則貳之故曰因貳以濟民行
以明失得之報易之興也其於中古乎作易者其有憂
患乎是故履德之基也謙德之柄也
攷文引古本柄下脫也字

復德之本也恆德之固也損德之脩也

釋文云脩鄭云治也馬作循案緐續云循脩二字緐法只爭一畫古書脩循互誤者甚多此脩字作循亦係漢緐之譌

益德之裕也困德之辯也

今本作辨石經集解釋文辨俱作辯

井德之地也巽德之制也履和而至謙尊而光復小而辯於物恆雜而不厭

攷文引古本雜上衍先字王氏引之云呂覽圜道篇圜周復雜無所稽留高注云雜猶帀也恆之爲道終

始相巡而無已時故曰帀而不厭

損先難而後易益長裕而不設困窮而通井居其所而

遷巽稱而隱履以和行謙以制禮復以自知恆以一德

損以遠害益以興利困以寡怨井以辯義

今本作辨唐石經及宋本注疏俱作辯下辯是與非同

巽以行權易之為書也不可遠為道也屢遷

今本作屢屢俗字惠氏云漢書皆作婁毛詩婁豐年

傳云婁亟也說文有婁無屢籀文作嫢古文作𡜆

釋張公神碑已有屢字

變動不居周流六虛上下无常剛柔相易不可為典要

唯變所適其出入以度外內使知懼又明于憂患與故

无有師保如臨父母初率其辭而揆其方

惠改集解率作帥

旣有典常苟非其人道不虛行易之爲書也原始要終

以爲質也六爻相雜唯其時物也其初難知其上易知

本末也初辭擬之卒成之終若夫雜物撰德

今本作撰釋文云撰鄭作算云數也案周禮大司馬

羣吏撰車徒鄭注云撰讀曰算算車徒謂數擇之也

二字古葢通用

辯是與非則非其中爻不備噫亦要存亡吉凶

釋文云噫王肅於力反辭也馬同王氏引之云噫與
抑通字或作意大戴禮武王踐阼篇云黃帝顓頊之
道存乎意亦忽不可得見歟秦策云誠病乎意亦思
乎噫亦二字連讀馬王注是也
斯居可知矣知者觀其彖辭
攷文引古本作智者觀其彖辭案釋文引馬鄭俱作
彖辭
斯思過半矣二與四同功而異位其善不同二多譽四
多懼近也柔之爲道不利遠者其要无咎其用柔中也
攷文引古本中上有得字

三與五同功而異位三多凶五多功貴賤之等也其柔危其剛勝邪

攷文引古本邪下衍也字

易之爲書也廣大悉備有天道焉有人道焉有地道焉兼三才而兩之故六

注疏本才或作材石經初刻作才後改材攷文引古本足利本俱作材下同案說卦作三才士冠禮疏引鄭注云三才天地人之道是古本作才不作材

六者非它也三才之道也道有變動故曰爻爻有等故曰物物相雜故曰文

攷文引古本無相字

文不當故吉凶生焉易之興也其當殷之末世周之盛德邪當文王與紂之事邪是故其辭危危者使平易者使傾其道甚大百物不廢懼以終始其要无咎此之謂易之道也夫乾天下之至健也德行恒易以知險夫巛天下之至順也德行恒簡以知阻能說諸心能研諸侯之慮

晁氏云王昭素謂剩侯之二字必王輔嗣以後韓康伯以前錯滆公曰王輔嗣略例云能研諸慮則侯之衍字案虞翻云震爲諸侯則虞所據本有諸侯二字

虞注好舉諸家異同之字此不言者必漢易皆如是

定天下之吉凶成天下之亹亹者

案二句與上繫複者下疑有脫文

是故變化云為

　廣雅云有也變化云為與吉事有祥儷文

吉事有祥象事知器占事知來天地設位聖人成能人謀鬼謀百姓與能八卦以象告爻彖以情言剛柔雜居而吉凶可見矣變動以利言吉凶以情遷是故愛惡相攻而吉凶生遠近相取而悔吝生情偽相感而利害生

　攷文引古本無情偽相感而利害生八字

凡易㞢情近而不相得則凶或害㞢悔且吝將叛者其辭慙中心疑者其辭枝吉人㞢辭寡躁人㞢辭多

今本作躁說文有趮無躁趮疾也

誣善㞢人其辭游失其守者其辭詘

今本作屈古文通以詘爲屈惠刻集解改詘

費氏古易訂文卷八終

鎭南劉樾正字

華陽馮康覆勘

資陽伍鋆斠刻

# 費氏古易訂文卷九

新城王樹枏

文言

正義謂鄭學之徒以文言爲第七在下繫之後鄭爲費易則費本當亦如是也音訓云漢上朱氏謂王弼以文言坿乾坤二卦案言于傻謂康成合彖象于經不言合彖象文言於經則以文言移于乾坤二卦之後者實王弼爲之竊以文言爲秦漢經師所爲絕非孔子之書其元者善之長數語顯襲春秋傳穆姜之語不知周易一書通無以元亨利貞爲四德者左氏

解易乃筮家占斷之法不必與易相符猶子服惠伯以黃裳元吉爲三德此其證也經家不察乃竊穆姜之語以爲孔子之言年代既不相符而又以隨卦之占辭歸之乾卦故歐陽子亦以文言爲僞作非無故也袁氏楷謂文言錯入繫辭者有鳴鶴在陰以下七節自天祐之一節憧憧往來以下十一節即亢龍一節之重可以明之樹枏亦以爲文言當不止乾坤二卦書經秦火典籍灰飛漢代求經人多僞造所謂易以卜筮獨完者蓋指上下經而言若孔子之傳則汲冢藏書已亡之矣當秦漢之際老師宿儒默守遺經

宣明大義學者相沿不察遂並經師之語雜入十翼
故往往謬錯間出純雜不齊東漢儒者既不復辨其
眞僞而概以爲孔子之書故今亦謹依鄭氏次第以
復費氏之舊

元者善之長也亨者嘉之會也義者利之和也貞者事
之榦也

襄九年左氏傳作元體之長也亨嘉之會也利義之
和也貞事之幹也

君子體仁足以長人

釋文云體仁京房荀爽董遇本作體信案文選陸士

衡贈顧交阯公眞詩注引周易曰君子體仁足以長人鄭元云體生也是李善所見鄭易作體仁與左傳同蔡邕汝南周巨勝碑亦作體仁

嘉會足以合禮

左傳作嘉德足以合禮蔡邕汝南周巨勝碑亦作嘉德當是三家本如是

利物足以和義

釋文云利物孟喜京荀陸績作利之案王弼本作利物與左傳合此古文也荀從今文家說

貞固足以幹事君子行此四德者故曰乾元亨利貞初九

曰潛龍勿用何謂也子曰龍德而隱者也不易乎世不成名

釋文云不成名一本作不成乎名音訓亦云今本有乎字惠氏所刻集解作不易世不成名並刪上乎字殊爲鹵莽

遯世无悶

蔡邕汝南周巨勝碑作遁世無悶三家今文也

不見是而无悶樂則行之憂則違之確乎其不可拔潛龍也

今本作確乎釋文云確堅高之皃說文云高至案此

與下繫夫乾隺然所引說文正同葢釋文本作隺爲
俗人所變易耳惠氏棟云鄭烈碑作確婁壽碑又作
榷皆假借字錢氏大昕以說文塙字當此確字葢未
攷釋文攷文引古本拔下有者字

九二曰見龍在田利見大人何謂也子曰龍德而正中
者也庸言之信庸行之謹閑邪以存其誠

今本作閑邪存其誠晁氏云鄭作以存其誠

善世而不伐德博而化易曰見龍在田利見大人君德
也九三曰君子終日乾乾夕惕若厲无咎何謂也子曰
君子進德修業忠信所以進德也修辭立其誠所以居

業也知至至之可與幾也

攷文引古本足利本與下有言字惠刻集解據增

知終終之可與存義也是故居上位而不驕在下位而不憂故乾乾因其時而惕雖危无咎矣九四曰或躍在淵无咎何謂也子曰上下无常非為邪也進退无恆非離羣也君子進德脩業及時

今本作欲及時也晁氏云鄭无欲也二字

故无咎九五曰飛龍在天利見大人何謂也子曰同聲相應同气相求水流溼

今本作濕集解作溼濕為溼之假字

火就燥雲從龍風從虎聖人作而萬物覩

釋文云作鄭云起也馬融作起案馬君當亦訓作爲起與鄭注同後人因以其注文爲經文

本乎天者親上本乎地者親下則各從其類也上九曰亢龍有悔何謂也子曰貴而无位高而无民賢人在下位而无輔是以動而有悔也潛龍勿用下也見龍在田時舍也

舍讀爲舒古文省字楚辭懷沙舒憂娛哀史記舒作舍是其證也象傳言見龍在田德施普也則不得謂之時舍而不用王弼注謂舍爲通舍蓋亦讀舍爲舒

終日乾乾行事也或躍扗淵自試也飛龍扗天上治也
亢龍有悔窮㞢烖也
今本作窮之災也晁氏云之鄭作志
乾元用九天下治也潛龍勿用陽气潛藏
今本作藏俗字
見龍扗田天下文明終日乾乾與時偕行或躍扗淵乾
道乃革飛龍扗天乃位乎天德亢龍有悔與時偕極乾
元用九乃見天則乾元者始而亯者也利貞者情性也
今本作性情晁氏云性情鄭作情性惠氏棟云王弼
注不性其情何能久行其正輔嗣用黃老之說改易

經文

乾始而㠯美利利天下

今本而作能晁氏云能以鄭作而以惠刻集解改作

而能而古字通

丕害所利大矣哉大哉乾兮剛健中正純粹精也

慧琳一切經音義卷二十卷七十九引作醇粹精也

卷十四卷三十一卷九十二仍引作純

六爻發揮

釋文云揮本亦作輝案經義攷載王肅作輝說卦發

揮於剛柔而生爻鄭云揮揚也

旁通情也時乘六龍以御天也雲行雨施天下平也君子以成德爲行日可見之行也潛之爲言也隱而未見行而未成是以君子弗用也君子學以聚之問以辯之

今本作辨釋文石經集解俱作辯

寬以居之仁以行之易曰見龍在田利見大人君德也九三重剛而不中上不在天下不在田故乾乾因其時而惕雖危无咎矣九四重剛而不中上不在天下不在田中不在人故或之或之者疑之也

攷文引古本或作惑

故无咎夫大人者與天地合其德與日月合其明與四

時合其序與鬼神合其吉凶先天而天弗違後天而奉天時天且弗違而況乎人乎況乎鬼神乎亢之爲言也知進而不知退知存而不知亡知得而不知喪其唯聖人乎

釋文云王肅本作愚人後結始作聖人阮氏元云王肅本大非此經依釋文所載無末五字者是最古本此是倒裝文法故曰其唯聖人乎知進退存亡而不失其正者如檀弓誰歟哭者即哭者誰歟今案據釋文所云後結始作聖人則釋文所見諸家皆有末五字王肅與諸家同唯此聖人字作愚人耳阮氏妄說

荀注云再稱聖人者上聖人謂五下聖人謂二也

知進退存亡而不失其正者其唯聖人乎

坤至柔而動也剛至靜而德方

唐石經德下旁添也字阮氏元云旁添字並後人妄增不可信

後得主而有常

程傳本義俱云主下當有利字誤讀經破句

含萬物而化光坤道其順乎承天而時行積善之家必有餘慶積不善之家必有餘殃臣弒其君

釋文云弒本或作殺同式志反下同

予弑其文非一朝一夕之故其所由來者漸矣

注疏毛本由作繇嚴可均云避明諱

由辯之不早辯也

釋文云辯如字馬云別也荀作變晁氏云辯古文變字

易曰履霜堅冰至蓋言順也

本義云古字順慎通用此當作慎錢氏大昕云馴與順古文相通象傳之馴致與文言之順其義一也尚書五品不遜先儒訓為順而史記引作五品不馴是馴順本一字矣漢人書乾坤字皆作巛馴順訓並从

乾巛之巛得聲順與馴義同而音亦相近不當破順爲愼也案春秋繁露基義篇引易曰履霜堅氷盍言遜也以遜易順則古本之作順明矣集解引荀注云霜者乾之命令坤下有伏乾履霜堅氷盍言順也乾氣加之性而堅象臣順君命而成之

直其正也

禮深衣作直其政鄭注云政或爲正正政同字鄒志完謂正當作敬非劉安世改下敬以直內之敬爲正今亦疑敬爲政之譌字

方其義也君子敬㠯直內義㠯方外敬義立而德不孤

釋文云張璠本此下有易曰衆家皆无
直方大不習无不利則不疑其所行也
孔氏廣森讀疑爲礙
陰雖有美含之以從王事弗敢成也地道也妻道也臣
道也地道无成而代有終也天地變化艸木蕃
攷文引古本作草木蕃茂
天地閉賢人隱易曰括囊无咎无譽蓋言謹也
攷文引古本脫也字
君子黃中通理正位居體美在其中而暢於四支發於
事業美之至也陰疑於陽必戰

今本作疑釋文云疑荀虞姚信蜀才本作凝案孟喜云陰乃上薄疑似於陽必與陽戰也據此則疑爲今文凝爲古文

爲其嗛于陽也

今本作爲其嫌于无陽也釋文云嫌鄭作慊今本釋文作謙盧改作溓俱非據詩正義訂正荀虞陸董作嗛案詩采薇正義引鄭易注云慊讀如羣公溓之溓正義云文言慊爲心邊兼鄭从水邊兼初無嫌字古書篆作立心與水相近讀者失之故作慊溓雜也陰謂上六也陽謂今消息用事乾也上六爲蛇得乾氣雜似龍鄭訓慊於陽爲雜於乾其無无字明矣故孔疏謂詩箋

嫌於無陽與易注異後人乃據詩箋之說以改易文王弼從之殊爲失實荀君云消息之位坤在於亥下有伏乾爲其兼於陽故稱龍也是荀本亦無无字釋文謂荀易作嗛而集解則引荀注作兼作兼者九家本也兼爲慊之省文而慊與嗛嫌古皆通用漢書趙充國傳偷得避慊之便師古注云慊亦嫌字禮坊記貴不慊於上鄭注云慊或爲嫌是慊嫌通用之證史記樂毅傳以爲慊於志索隱云慊亦作嗛荀子非十二子篇嗛然而終日不言楊倞注云嗛與慊同是慊嗛通用之證

故偁龍焉猶未離其類也故偁血焉夫玄黃者天地之

雜也

攷文引古本雜下有色字

天玄而地黃

費氏古易訂文卷九終

鎮南劉樾正字

華陽馮廉覆勘

資陽伍鋆斠刻

六十六

看之易分

貞陽任益輯刻

華陽張東校助

貴古易言之[illegible]

天玄而地黃

攷文引古本雜下有色字

補疏

故稱龍焉猶未離其類也故稱血焉夫玄黃者天地之雜也

# 費氏古易訂文卷十

新城王樹枏

## 說卦

鄭目以說卦在文言之後爲十翼之八隋書經籍志序謂秦焚書易以卜筮獨存唯失說卦三篇後河內女子得之案今說卦祇一篇宋吳仁傑以今繫辭二篇合此篇以當隋志三篇之數後代儒者多不信從今以爲失說卦三篇者隋志當合下序卦襍卦混言之非定謂說卦有三篇也

昔者聖人㞢作易也幽贊亏神明而生蓍

釋文云贊本或作讚案荀注云贊見也與說文同讚
俗字
參天㒳地而倚數
釋文云天或作夫者非㒳字今本作兩說文㒳再也
引易參天㒳地兩爲斤兩字惠氏棟云蔡邕石經作
㒳文王命厲鼎亦然葢三家今文與馬鄭古文皆作
㒳也釋文云倚馬云依也蜀才作奇通案正義引鄭
注云天地之數備於十乃三之以天兩之以地而倚
託大演之數五十也是鄭易亦作倚與馬本同周禮
媒氏注引作奇數者彼釋文云奇本或作倚葢賈君

所據本作奇而陸氏所見本則作倚與易同也惠氏棟云倚本古奇字荀子儒效篇云倚物怪變楊倞讀爲奇漢書外戚傳欲倚兩女史記作奇方言曰倚奇也杜子春周禮大祝注云奇讀曰倚今桼漢書律厤志亦引作參天兩地而倚數蓋中古文本如是與費易同

觀變亐陰陽而立卦

釋文云觀變一本作觀變化

發揮亐剛柔而生爻和順亐道德而理亐義窮理盡性㠯至亐命昔者聖人㞢作易也將㠯順性命㞢理

攷文引古本理下有也字

是㠯立天之道曰陰與陽立地之道曰柔與剛立人之道曰仁與義兼三才而兩之故易六畫而成卦分陰分陽迭用柔剛故易六位而成章

釋文云六位本又作六畫案虞翻云乾三畫成天文坤三畫成地理是今文作畫也李鼎祚本從之

天地定位山澤通气靁風相薄水火不相射八卦相錯數往者順知來者逆是故易逆數也靁㠯動之風㠯散之雨㠯潤之日㠯烜之

音訓作晅云今本作烜釋文云晅本又作烜案說文

無晅字烜爲爟之重文唐石經及注疏本皆作烜釋文引京云晅乾也蓋今文作晅集韻韻會晅下俱引今文易

艮㠯止㞢兌㠯說㞢乾㠯君㞢

舉正君作居案荀注云建亥之月乾坤合居君臣位得也則荀本作君

巛㠯臧㞢

今本作藏

帝出乎震齊乎顨相見乎離致役乎巛說言乎兌戰乎乾勞乎坎成言乎艮萬物出乎震震東方也齊乎顨顨

東南也齊也者言萬物㞢絜齊也離也者明也萬物皆
相見南方㞢卦也聖人南面而聽天下嚮明而治

今本鄉作嚮說見隨象傳

蓋取諸此也巛也者地也萬物皆致養焉故曰致役乎
巛

攷文引古本坤下衍也字

兌正秋也萬物㞢所說也故曰說言乎兌戰乎乾乾西
北㞢卦也言陰陽相薄也坎者水也

攷文引古本水下脫也字

正北方㞢卦也勞卦也萬物㞢所歸也故曰勞乎坎艮

東北之卦也萬物之所成終而所成始也

攷文引古本無下所字案漢上易引鄭注有下所字

集解引虞注無下所字葢今文脫去

故曰成言乎艮神也者妙萬物而爲言者也

今本作妙釋文云妙王肅作眇音妙董云眇成也葢古無妙字屈原九歌美要眇兮宜修前漢元帝贊窮極幼眇師古注云讀爲要妙葢眇卽今之妙字也惠氏棟謂陸士衡文賦眇衆慮而爲言卽用說卦漢上易引鄭注亦作眇荀子王制篇仁眇天下義眇天下威眇天下楊倞注云眇盡也此眇字亦當如之

動萬物者莫疾乎雷橈萬物者莫疾乎風燥萬物者莫

熯亏火

釋文云熯徐本作暵說文同案徐鍇說文暵下引易作燥萬物者莫暵乎離離當爲誤字正義謂艮不言山獨舉卦名者動橈燥潤之功是雷風水火至於終始萬物於山義爲微故言艮而不言山是孔所見本皆作火無作離者徐鍇本正作燥萬物者莫暵乎火暵熯義同作暵者孟氏今文作熯者費氏古文

說萬物者莫說亏澤潤萬物者莫潤亏水終萬物始萬物者莫盛亏艮

釋文云盛鄭音成云裹也王引之云盛當讀成就之

成成盛古字通借

故水火相逮

釋文作水火不相逮云鄭宋陸王肅王廙無不字惠氏云音訓會通皆有不字漢書郊祀志所引亦然案正義云上章言水火不相入此言水火相逮者既不相入又不相及則无成物之功明性雖不相入而氣相逮及也上言雷風相薄此言不相悖者二象俱動動若相薄而相悖逆則相傷害亦无成物之功明雖相薄而不相逆也據此則孔氏所據本卽鄭本也

靁風不相悖山澤通气然後能變化旣成萬物乾健

也巛順也震動也巽入也坎陷也離麗也艮止也兌說
也乾爲馬巛爲牛震爲龍巽爲雞坎爲豕
釋文云豕京作彘彘今文豕古文
離爲雉艮爲狗兌爲羊乾爲首巛爲腹
陸氏周易述作乾爲首爲君爲父坤爲腹爲母與諸
家不同
震爲足巽爲股坎爲耳離爲目艮爲手兌爲口乾天也
故偁乎父巛地也故偁乎母震一索而得男故謂之長
男巽一索而得女故謂之長女坎再索而得男故謂之
中男離再索而得女故謂之中女艮三索而得男故謂

之少男兌三索而得女故謂之少女乾爲天爲圜爲君爲父爲玉爲金爲寒爲冰爲大赤爲良馬爲老馬爲瘠馬

今本作瘠瘠爲膌之或字釋文云瘠京荀作柴云多筋幹索漢上易引鄭注作瘠云凡骨爲陽肉爲陰瘠字古或作胔漢書婁敬傳徒見羸胔老弱師古注胔讀曰瘠後漢書東海恭王彊傳皆吐血毀胔李賢注云胔或爲瘠柴胔形聲相近荀蓋假柴爲胔也

爲駁馬

集解作駮唐石經摩改作駁詩駉疏謂樊光孫炎爾

雅注俱引乾爲駁馬案說文駁駮不同物駁馬色不
純从馬爻聲駮獸如馬倨牙食虎豹从馬交聲王
廙孔穎達俱謂駁能食虎豹則以駁爲駮宋衷謂天
有五行之色故爲駁馬則以駮爲駁二字古葢通借
說苑辨物篇云駮之狀有似駮馬今君之出必驂駮
馬而畋虎所以不動者爲駮馬也然則駮之與駁葢
同形而異物者歟太元數篇云二七爲火爲駮揚從
孟易疑今文爲駮古文爲駁

爲木果

釋文云荀爽九家集解本乾後更有四爲龍爲直爲

衣爲言朱氏震云秦漢之閒易無說卦孝宣時河內女子發老屋得之至後漢荀爽集解又得八卦逸象三十有一惠氏棟云九家各有逸象漢上易謂慈明一人所得非也今案此係周秦經師講求易象推類引伸之義荀九家等各記其師之說亦猶虞傳孟象凡四百餘事皆今說卦所無據此足知說象之文皆經家所爲非盡出於孔子之手也漢書王莽傳引易巽爲風爲順今說卦無爲順之語葢梁邱易說象之文也

巛爲坉爲母爲布爲釜爲吝嗇

釋文云吝京作遴遴今文

爲均爲子母牛爲大轝爲文爲衆爲柄其亏地也爲黑

釋文云九家本巛後有八爲牝爲迷爲方爲囊爲裳

爲黃爲帛爲漿

震爲靁爲龍爲玄黃

釋文云龍虞干作駹虞云駹蒼色震東方故爲駹舊讀爲龍上已爲龍非也惠氏棟云周禮犬人職云凡幾珥沈辜用駹可也注云故書駹作龍鄭司農云龍讀爲駹是古駹字皆作龍讀爲駹今案漢上易引鄭注云龍讀爲尨取日出時色雜也尨駹同字考工記

玉人上公用龍司農注云龍當爲尨襄四年左氏傳尨圉史記夏本紀正義作龍圉龍與尨古同聲故鄭讀龍爲尨而虞干本則直改作駹字失經之舊矣

爲專

今本作蒪釋文云王肅音孚干云花之通名鋪爲花貌謂之藪本又作專如字虞同姚云專一也鄭市戀反案古今文皆作專至延叔堅王肅韓康伯干寶等始誤爲蒪蒪古作尃三國華陀傳注云古尃字與專相似寫書多不能別此其證也

爲大悇爲巷予爲忮礫

今本作躁廣雅云躁趮疾也趮與決同

爲蒼筤林

釋文云筤或作琅通藝文類聚八十九亦引作琅初學記十引同言其竹色之青似琅玕案九家易云蒼筤青也震陽在下根長堅剛陰爻在中使外蒼筤也據此則鄭荀古本皆作筤

爲雚葦

今本雚作萑俗省石經作雚

其亐馬乇爲譱鳴爲朱足

今本作馵釋文云馵京作朱荀同陽在下案朱爲馵

之假字說文䮺馬後左足白也从馬二其足讀若注古者注朱同音公羊莊七年傳注狼注之宿釋文云注與味同朱鳥口星也段氏云䮺二其足謂於足以二爲記識如馬於足以一爲記識也非一二字變篆爲馵馬既作馵則䮺作馵與篆大乖爾雅釋畜左白馬郭璞注亦引易作馵足

爲作足爲的顙

今本作的的爲旳之誤釋文云的說文作馰案說文日部旳明也从日勺聲易曰爲旳顙此古文也馬部馰馬白頟也從馬勺聲一曰駿也易曰爲馰顙又火

部炟望見火皃从火𦣞聲讀若馰顙之馰此今文也的顙之馬謂之馰故先有的字而後製馰毛詩傳作的顙爾雅作馰顙今易家皆從古文作的無作馰者

其亐稼也爲反生

釋文云反虞作阪云陵阪也陸云阪當爲反惠氏棟云反古阪字前漢地理志蒲阪字作反劉寬碑陰同案荀子成相篇阪爲先聖楊倞注云阪與反同此當仍今文作反讀爲阪漢上易引鄭注云反生生而反出也宋衷云陰在上陽在下故爲反生謂枲豆之類戴甲而生是古本皆作反不作阪虞說異義惠氏從

之非也

萁究爲健爲蕃鮮

釋文云九家本震後有三爲王爲鵠爲鼓

巽爲木爲風爲長女爲繩直爲墨

今本作工晁氏云工鄭作墨案北宋時鄭注說卦猶

未亡故晁得據以錄訂荀注云以繩木故爲工此工

字亦當爲墨葢墨所以繩木故曰以繩木爲墨也後

世乃據今文改之虞翻云爲近利市三倍故爲工工

今文墨古文

爲白

洪氏頤煊云賁六五束帛戔戔虞注云巽爲帛爲繩是虞氏易作爲帛也今案虞氏爲白注云乾陽在上故白又注爲宣髮云爲白故宣髮是虞易作白不作帛

爲巷爲高爲讙復爲不果爲臭

釋文云王肅作爲香臭案虞翻云臭氣也風至知氣臭兼香羶腥焦朽五氣言之古無以香臭對言者肅妄增

其亏人也爲宣髮

今本作寡釋文云寡本又作宣黑白雜爲宣髮虞翻

云爲白故宣髮馬君以宣爲寡髮非也案攷工記車人之事半矩謂之宣鄭注云頭髮皓落曰宣易巽爲宣髮賈疏引鄭易注云宣髮取四月靡草死髮在人體猶靡草在地據此則費氏古本作宣與今文同臧氏琳謂鄭君禮注作宣易注作寡盖誤會賈疏馬君盖讀宣爲寡耳宋本易林云宣髮龍叔爲王主國宣髮二字即本此文䌛書寡字作寘與宣相似列女傳衛寡夫人誤作宣夫人正與此同

爲黃顙

今本作廣釋文云廣鄭作黃某氏云爲宣髮爲黃顙爲多白眼三句皆以色言作廣失之李鼎祚謂變至

三坤為廣四動成乾為顙離顛本象取義殊為穿鑿
為多白眼為䜣析肖三倍其究為躁卦
釋文云ナ多本巽後有二為楊為鸛案玩辭引楊作
揚云巽稱而隱隱卽揚也揚子云巽以揚之
垁為水為溝瀆為隱伏為矯輮
釋文云矯一本作撟輮馬鄭王肅本作此宋衷王廙
作揉京作柔荀作橈案荀子臣道篇楊倞注文選甘
泉賦李善注俱云撟與矯同輮為煣之假字非謂車
网也孔疏云使曲者直為矯使直者曲為輮荀子勸
學篇輮以為輪楊倞注云輮屈是其義故其字作柔

又作橈俗因易手爲揉考工記輪人揉輻必齊鄭注云揉謂以火槁之盐卽煣之今字若讀爲車輮則與下輪字取象複矣

爲弓輪

釋文云輪姚作倫案儀禮既夕記倫如朝服鄭注云古文倫爲輪

其于人也爲加憂爲心病爲耳痛爲血卦爲赤其于馬也爲美脊爲極心

今本作亟釋文云荀作極云中也案極亟古通字書微子亟行暴虐釋文云亟本作極莊子盜跖篇亟去

走歸釋文云亟本作極荀子賦出入甚極莫知其門

楊倞注云極讀爲亟心與脊皆取中象故荀義然也

崔憬云取其內剛陽動故爲亟心

爲下首爲薄蹏

今本作蹄俗字

爲曳其于輿也爲多眚爲通爲月爲盜其于木也爲堅

多也

釋文云九家本坎後有八爲宮爲律爲可爲棟爲叢

棘爲狐爲蒺藜爲桎梏

離爲火爲日爲電爲中女爲甲胄爲戈兵其于人也爲

大腹爲乾卦

釋文云乾鄭云當爲幹陽在外能幹正也董作幹案乾幹同音字周禮籩人注於楅室中糗幹之釋文云又作乾列子木葉幹殼張湛云幹音乾此文蓋今古本皆作乾鄭欲破字爲幹而董則直據以改幹失費氏之舊

爲鼈

今本作鱉釋文云鱉本又作鼈鼈鱉正俗字

爲蠏爲蠃

釋文云蠃京作螺姚作蠡案元應眾經音義二云螺

古文蠃同螺爲蠃之俗體經典亦假蠡爲蠃文選東
征賦諒不登樔而椓蠡兮李善注云蠡與蠃古字通
廣雅蠡螔蝓也卽蠃字

爲蚌

釋文云蚌本又作蜯同案蜯俗字

爲龜其亏木也爲科上槀

釋文云科空也虞作折槀今本作槁釋文云鄭作槀
干作熇案廣雅云科空也與釋文同宋衷云陰在內
則空中木中空則上科槀也蓋古義如此虞翻破字
爲折失之說文槀木枯也古槀字高在木上今字高

在右非也釋文云九家本離後有一爲牝牛

艮爲山爲徑路爲小石爲門闕爲果蓏

釋文云果蓏京本作果墮之字晁氏云墮古文菓墮

爲異義馬君云果桃李之屬蓏瓜瓠之屬是古文作

蓏不作墮

爲閽寺

釋文云寺亦作閽字案閽今文

爲小指

今本作爲指晁氏云鄭作爲小指虞翻云艮手多節故

爲指蓋今文無小字也

爲狗

集解作拘虞翻云指屈伸制物故爲拘拘舊作狗上已爲狗字之誤案狗非誤字此經師所輯卦象不出一人之手故重見複舉如此亦猶乾爲馬坤爲牛震爲龍兌爲口之類不必定爲誤字

爲鼠爲黚喙之屬

今本作黔釋文云黔鄭作黚謂虎豹之屬貪冒之類案馬作黔鄭作黚黚黔同音相借史記六國表衛悼公名黔呂覽注作黚是也音訓引釋文以鄭說爲陸說當是陸與鄭同漢上易亦引鄭作黚音訓喙作彖

謂今本作喙晁氏云彖奇字陸無喙字案說文彖豕
也坎爲豕艮無此象呂說非也
其亏木乇爲堅多節
釋文云一本無堅字攷文引古本多上有爲字案堅
多節與堅多心句法一律坎陽在中故堅多心艮陽
在上故堅多節虞翻云陽剛在外故多節松柏之屬
蓋今文無堅字惠刻集解刪堅字從虞釋文云九家
本艮後有三爲鼻爲虎爲狐
兌爲澤爲少女爲巫爲口舌爲毀折爲坿快其亏地乇
爲剛鹵爲妾爲陽

今本作羊釋文云羊虞作恙恙謂女使皆取位賤故
爲恙舊讀兌恙爲羊已見上此爲再出非孔子意也
案恙爲羊子仍與羊同義古書亦無謂恙爲女使者
漢上易引鄭本羊作陽注云此陽謂養无家女行賃
炊爨今時有之賤於妾也然則古本葢是陽字陽與
羊同成十七年左氏傳晉夷羊五晉語作夷陽午漢
書古今人表樂陽師古云卽樂羊淮南氾論訓山出
梟陽爾雅郭璞注作梟羊漢綏民校尉熊君碑治歐
羊尚書郎歐陽尚書陽與羊同故古文作陽而今文
作羊爾雅陽予也郭璞注云魯詩陽如之何今巴濮

之人自呼阿陽陽之言養也女之賤者稱陽猶男之卑者呼養自呼阿陽如自稱厮養矣鄭說葢本之魯詩王氏引之謂羔爲恙字之誤亦曲爲之說釋文云九家本兌後有二爲常爲輔頰注云常西方神也

費氏古易訂文卷十終

鎮南劉樾正字

華陽馮廉覆勘

資陽伍鋆斠刻

費氏古文訂易卷十一

新城王樹枏

序卦

案一行易纂引孟喜序卦曰陰陽養萬物必訟而成之君臣養萬民亦訟而成之淮南子繆稱訓引易曰剝之不可遂盡也故受之以復皆與今序卦不同而說文相字下引易地可觀者莫可覩乎木亦似序卦之文葢秦漢經師各有序卦異同互出而傳者皆以爲孔子之書亦猶毛詩韓詩各有小序而說者皆以爲子夏所作也

有天地然後萬物生焉盈天地之閒者唯萬物故受之㠯屯屯者盈也屯者物之始生也

攷文引古本作屯者物之始生無也字

物生必蒙

郭京本物作始

故受之㠯蒙蒙者蒙也

集解無蒙也二字郭京本作蒙者蒙昧也

物之稺也

釋文云稺本或作稚稚今字

物稺不可不養也故受之㠯需需者飲食之道也飲食

必有訟故受㞢㠯師師者眾
也眾必有所比故受㞢㠯比比者比也
郭京本作比者親比也
比必有所畜
釋文云畜本亦作蓄下及雜卦同本義脫必字
故受㞢㠯小畜物畜然後有禮故受㞢㠯履履者禮也
今本脫履者禮也四字孔氏廣森云韓康伯注有履
者禮也四字當是經文王氏畧例引雜卦曰履不處
也又曰履者禮也釋文云今雜卦無此句韓注有或
傳寫者誤愚謂王所引正序卦也今案爾雅釋言履

禮也郭璞注云禮可以履行見易郭云見易不云見易注是郭所據本猶未誤也惠刻集解增此四字入正文履者禮也與師者衆也泰者通也等句法皆一律晁氏亦云今從之

履然後安

今本作履而泰然後安晁氏云鄭本无而泰二字惠刻集解據删

故受㞢㠯泰泰者通也物不可㠯終通故受㞢㠯否物不可㠯終否故受㞢㠯同人與人同者物必歸焉故受㞢㠯大有有大有不可㠯盈

今本作有大者晁氏云鄭作有大有惠刻集解據改

故受㞢㠯謙有大而能謙必豫故受㞢㠯豫豫必有隨

故受㞢㠯隨㠯喜隨人者必有事故受㞢㠯蠱蠱者事也有事然後可大

今本作而後集解作然後

故受㞢㠯臨臨者大也物大然後可觀

攷文引古本觀下有也字

故受㞢㠯觀可觀而後有所合故受㞢㠯噬嗑嗑者合也物不可㠯苟合而已故受㞢㠯賁賁者飾也致飾然後亯則盡矣

惠刻集解作而後亯云今本作然
故受㞢㠯剝剝者剝也物不可㠯終盡剝窮上反下故
受㞢㠯復
攷文引古本反下下有也字淮南繆稱訓引易云剝
之不可遂盡也故受之以復與今本異
復則不妄矣故受㞢㠯无妄有无妄物然後可畜
今本有无妄下脫物字晁氏云鄭作物然後可畜項
氏玩辭同惠刻集解據增攷文引古本畜下有也字
石經初刻有也字後改刪
故受㞢㠯大畜

集解本無以字

物畜然後可養

攷文引古本養下有也字

故受㞢㠯頤頤者養也不養則不可動

李鼎祚本可下有以字攷文引古本動下有也字

故受㞢㠯大過物不可㠯終過故受㞢㠯坎

攷文引古本坎上有習字

坎者陷也陷必有所麗故受㞢㠯離離者麗也

晁氏云王昭素謂諸本下更有三句云麗必有所感

故受之以咸咸者感也晁氏古易因取此增入正文

謂後人妄有上下經之辯案釋文不言諸家有此三句惠氏棟云荀子大略篇易之咸見夫婦夫婦之道不可不正也君臣父子之本也則男女夫婦之說指咸卦明矣增此三句不亦贅乎

有天地然後有萬物有萬物然後有男女有男女然後有夫婦有夫婦然後有父子有父子然後有君臣有君臣然後有上下有上下然後禮義有所錯

攷文引古本錯下有矣字

夫婦之道不可以不久也故受之以恒恒者久也物不可以久居其所

今本作物不可以久居其所晁氏云鄭作物不可以

終久於其所

故受㞢㠯遯遯者𢓊也物不可㠯終遯故受㞢㠯大壯

物不可㠯終壯故受㞢㠯晉晉者進也進必有所傷故

受㞢㠯明夷夷者傷也傷亏外者必反亏家

監本注疏作必反其家毛本同

故受㞢㠯家人家道窮必乖故受㞢㠯睽睽者乖也乖

必有難

攷文引古本作乖必有所難

故受㞢㠯蹇蹇者難也物不可㠯終難故受㞢㠯解解

者緩也緩必有所失故受之㠯損損而不已必益故受
之㠯益益而不已必決故受之㠯夬夬者決也決必有
遇
閩監毛本注疏作必有所遇石經集解俱無
故受之㠯講講者遇也
今本作姤
物相遇而後聚故受之㠯萃萃者聚也聚而上者謂之
昇故受之㠯昇
今本作升
昇而不已必困故受之㠯困困乎上者必反下故受之

㠯丼丼𧩙不可不革

攷文引古本革下有也字

故受之㠯革革物者莫若鼎故受之㠯鼎主器者莫若長子故受之㠯震震者動也物不可㠯終動止之

攷文引古本足利本止之上有動必二字

故受之㠯艮艮者止也物不可㠯終止故受之㠯漸漸者進也進必有所歸故受之㠯歸妹得其所歸者必大

故受之㠯豐豐者大也窮大者必失其居

攷文引古本居作君

故受之㠯旅旅而无所容故受之㠯巽巽者入也

今本作巽

人而後說之故受之以兌兌者說也說而後散之故受之以渙渙者離也物不可以終離故受之以節節而信之

攷文引古本作節而後信之

故受之以中孚有其信者必行之故受之以小過有過物者必濟故受之以既濟物不可窮也故受之以未濟終焉

晁氏云趙蕤謂終焉二字疑非仲尼之辭後人傳之誤也愚以為序卦通篇全非聖人文字

鎮南劉樾正字

華陽馮廉覆勘

費氏古文訂易卷十一終

資陽伍鋆斠刻

費氏古易訂文卷十二

新城王樹枏

襍卦

案史記孔子世家云孔子晚而喜易序彖繫象說卦文言讀易韋編三絶不出襍卦之名葢史公時襍卦一篇已亡之矣此亦經師所爲非十翼之文

乾剛巛柔比樂師憂臨觀之義或與或求屯見而不失其居蒙襍而著震起也艮止也損益衰盛之始也

今本作盛衰會通引釋文云鄭虞作衰盛音訓引同今本釋文無之

大畜時乇无妄烖乇

今本作災

萃聚而昇不來乇

考文引古本聚下衍也字今本昇作升

謙輕而豫怠乇

考文引古本輕下衍也字怠釋文云京作治虞作怡

蓋三家今文惠氏棟云怠古音怡故虞作怡李鼎祚

從虞本

噬嗑食乇

晁氏云食一作合

賁无色也

某氏云鄭謂賁變也文飾之貌不得云无色无疑當

爲亓乃古文其字食色相對成文加其字以足句

兌說而篹伏也

今本作見晁氏云鄭作說案虞謂兌陽息二故見則

見爲今文

隨无故也蠱則飾也

今本作飭釋文云飭鄭王肅作飾案飾飭古通用莊

子漁父篇飾禮樂釋文云飾本作飭禮記樂記復亂

以飭歸史記樂書作飾歸呂覽先己篇子女不飭高

誘注云不文飾也太平御覽引作飾虞注云蠱泰初
上飾坤故則飾也據此則孟費本皆作飾唐石經集解
同
紛爤乇復反乇
攷文引古本作復反無也字
譬畫乇
今本作晉
明夷誅乇
孫奕示兒編以誅爲昧案昧與遇不韵
幷誦而困相綢乇咸誎乇愊久乇渙離乇節止乇解緩

也蹇難也睽外也家人內也否泰反其類也大壯則止

遯則復也大有終也

今本作衆釋文云衆荀作終惠氏棟云儀禮士相見篇衆皆若是鄭注云今文衆爲終史記五帝紀怙終賊刑徐廣曰終一作衆是衆有終音故通用也

同人親也革去故也鼎取新也小過過也中孚信也豐多故親寡旅也

釋文云衆家以豐多故絕句荀以豐多故親絕句寡旅也別爲句案荀讀是謂豐多故親旅則寡故親單言寡者承上文省今注疏本豐多故下衍也字蓋從

諸家誤讀破句攷文引古本旅下無也字

離上而坎下也小畜寡也履不處也

攷文引古本處下無也字

需不進也訟不親也大過顛也

晁氏云鄭謂自大過顛也以下卦音不協似錯亂失正弗敢改耳今案韵非不協但不反對耳漢唐以上本皆如此宋元儒者妄爲倒易非是

遘遇也

今本作姤唐石經作遘足利本漢上易俞氏集說同五經文字云遘遇也見易雜卦據此知唐以前雜卦

皆作遘後人承今本改作姤耳說文有遘無姤新附
始有姤字
柔謂陰也漸女歸待男行也
攷文引古本女歸下有也字
頤養正也旣濟定也歸妹女之終也未濟男之窮也夬
決也剛決柔也君子道長小人道憂也
今本作憂晁氏云憂鄭作消消與柔亦韵虞翻本亦
作消

費氏古易訂文卷十二終

鎮南劉樾正字
華陽馮廉覆勘
資陽伍鋆斠刻

張参五經文字謂後漢許叔重收集籀
篆古文諸家之學就隸爲訓注謂之
說文斐則說文一書惟篆字用古文
其注解則仍用當旹隸體葢使學者
便于尋省之意今之治說文者乃盡
改注中之隸體㠯从篆文䏈矣許君
之舊此書所引說文悉依張参之說
篆文隸字各不相淆而費氏經文用

犮

古注解从今則亦說文之例也光緒辛
丣七夕鎮南劉樾蔚畢跋尾

# 費氏古易訂文十二卷

黃壽祺

王樹枏撰。樹枏，字晉卿，新城人，光緒十二年進士，官至新疆布政使。著《陶廬叢稿》等凡數十種。此書大旨專在辨明《易》今文古文之異同。考漢世經學，分今文、古文兩家，《易》施、孟、梁邱、京，皆今文，惟費氏爲古文。在前漢之世，《費氏易》不列於學官，故不得盛行。至後漢陳元、鄭衆皆傳《費氏易》，其後馬融亦爲其傳，融授鄭玄，玄作《易注》，荀爽又作《易傳》，自是費氏始興。王弼《易注》雖與鄭氏不同，而所據之文，變而未厲，固依然鄭氏之本，亦即費學之流。居今日而言費學，蓋不得不以諸家爲斷。故王氏訂正費本，以馬、鄭、荀三家爲據。先鄭雖無《易》注，而其說之見於他經足資考證者，亦備爲採錄。王弼之《易》，間亦取資。斷制既謹，家法自明。而其訂正文字，間亦多所發正。如謂：「坤，古《易》必作『巛』，不作『坤』。『童蒙來求我』，王弼本原有『來』字。」「履虎尾，咥人，凶」。云：「此『咥』，鄭本亦當爲

『噬』」。謙上六「征邑國」。云：「衍『邑』字」。睽六三「其人天且劓」。謂：「天，馬本當作『兲』，於喬切。」夬九二爻詞，謂：「據《象傳》，當讀『錫號莫夜』爲句。」又謂：「渙『匪夷所思』，當從荀讀爲『匪弟所思』。既濟『繻有衣袽』，『袽』當從鄭司農說作『絮』。」又謂：「《蒙．象傳》『時中也』，據荀、王注，『時』上有『得』字。隨『大亨貞』，據荀、王注俱有『利』字。」凡此諸條，皆有心得，非徒事抄撮者所可同日而語。近世言費氏者二家，一爲桐城馬氏，一爲王氏。若律以漢人家法，則王氏較爲得之。

錄自：《易學羣書平議》

# 王樹枏傳略

王居恭

王樹枏（一八五一——一九三六）字晉卿號陶廬。其先明永樂初自小興州遷於河北保定之雄縣，萬曆時，再遷河北新城。考諸史志，小興州在今承德境內。齠齡穎異，出語驚人。十六歲入邑庠。十七歲考補廩膳生，喜爲溫李體詩，尤酷嗜昌谷，志於學詩成自家面目。十九歲讀書於蓮池書院，時直隸總督曾國藩聞其才智，特見之，指示讀書門徑，訓勉獎勵，談至兩時許，見重如此。曾公倡以漢賦氣體爲文，力追昌黎雄奇瑰偉之境，然青出於藍，後世評王樹枏文：「體勢宏遠，辭筆警煉，而出以沉鬱跌宕，生創奮勃，得韓（昌黎）公風力之駿邁，而不徒尋章摘句之瑰偉，此所以勝曾（國藩）氏而爲張（裕釗）吳（汝綸）之所畏也。」

李鴻章開畿輔通志局於古蓮花池，聘黃彭年主其事，聘先生修畿輔通志，時年先生二十四歲。又八年，吳汝綸知冀州，聘先生爲冀州書院主講，致書黃彭年、黃倚先生爲左右手，堅決不允，復書語多譏諷。吳再以書請，有「子夏設教西河，正以廣傳師道」之語，辭極和婉，黃仍堅持不允。吳上書李鴻章，以冀州知府去留相爭議。謂：「某作官一無所長，惟爲國家造就人才尚堪自信，今求一山長而不得行其志，尚何面目尸此位乎？」由李調停，先生半月在志局，半月在書院，而黃吳二人自此水火矣。吳汝綸爲古文名家，先生與之朝夕討論，於是專攻古文，不復爲駢儷文字。然先生不規規桐城，而亦不悖其義法，吳引爲畏友，不在弟子之列。先生博識強記，精於訓詁考訂，如大戴禮記，中庸、爾雅、墨子、夏小正、尚書其考證精眩允當，突過前人。先生史學著作，桐城方宗誠評謂似劉知幾史通。先生在冀州書院主講，致使冀州文學之盛，甲於畿南。一時名儒睹所著，皆願交識。

先生三十六歲，赴京會試中進士，派工部任主事，吳汝綸勸改知縣，曰「一官一邑尚可爲民造福，京官碌碌徒耗歲月耳。」冬初遂改知縣。越明年，選四川青神縣。

青神鴻化堰爲著名古堰，至今約一千一百六十多年。青神地狹民貧，全縣精華在此一堰。先生到日，堰已荒廢，四十餘年間堰水阻流。先生親自督工修堰，先生記事云：

鴻化堰斜截江水入渠，渠頭有山河一道正冲渠身，向筑石埧横截山河，與江水合流入渠。然當江水盛漲之時，每年冲毀石埧，順流南下，爲害甚巨。余相度埧身太高，當山水之冲，萬難抵御，歲歲冲決，勢所必然。乃將埧筑矮二尺，與渠正平，河水大則從埧上翻過，水小則幷江水入渠。又密筑木粧於埧底，粧與粧相間三四寸許，玲瓏透水，以緩水急。自筑之後，永無冲決之患。

攻成之日，灌田二萬餘畝，連歲豐收，川民爲之感涕，頌聲遍川東西。昔成都太守李冰治都江堰，深淘灘，低作堰，六字炳千秋，先生治鴻化渠，其相似，亦相知也。

先生四十一歲赴資陽任，資陽人好頌，日必數十起。先生坐大堂問案，任人觀聽，書差不能蒙蔽一也，使人知所勸懲二也，可以通上下之情三也。民事無三日不結者，久之，訟事幾絕。邛、蒲、新、彭、雙流、大邑六屬，有名巨賊十八支，每支或千餘人或數百人，而邛州、新津尤甚。白晝横行街市中，搶刧焚殺，無敢過問者。午後即將城門關閉，大堂設大炮以備非常。久之署中書差，城中紳士多與盜通，官成孤立，不得已告病開缺。總督劉秉璋曰：「非王某不能辦賊。」司道以先生之爲書生，疑其不能，劉曰：「人患非眞書生耳，惟眞書生乃能辦賊。」先生練團勇數百人，每日暮率以出，衆莫知其所往，視先生馬首而行。至賊地，始下令捕某賊，每捕必獲，驚散瓦解。自先生蒞境，賊聞先生名，無犯境者。其所剿有鄰縣者，故鄰縣盜案，多託先生辦。

先生自記云：

邛州賊魁牟花臉遣其族人牟千總（忘其名矣）來謁，願爲調人，每月送賊錢米若干，不使一賊入境，且曰：各州縣官多如此辦法，顧自己考成。余拍案曰：汝敢以此嘗試我耶？可謂自投羅網矣。當即繫押署中，曰：汝不指窩家，不獲有名巨匪，即以汝當之，不汝貸也。以後抄一窩，獲一賊，余即聲言系牟某所指，賊聞之銜恨入骨。群謀殺之以洩憤，牟自此不敢出署一步，專爲余畫策。每獲賊即使某當堂質證，不事刑求，無不承認者。余之辦賊，頗得此人之力。後余交卸去新，某涕泣曰：余死無日矣。後卒為賊黨所害。

先生又云：「余初委此缺，幕友、家丁皆托故辭去。」蓋怕危及自身安全，剿賊賊必加害，故辭也。

先生四十四歲調任富順縣知縣。四十五歲赴金陵，謁見張文襄公（張之洞）。翼日移居幕府，辦理洋務，防務，兼辦折奏。時與柯逢時，梁鼎芬、黃遵憲朝夕過從甚樂。先生晚年編輯張文襄公全集二百二十九卷，知遇也。

後數年先生或京師、或外地，為學或為宦，為行文簡略，此缺記。

先生五十七歲任新疆布政使（居恭按：官名，掌一省之政，自明代設，清因之），先生論新疆形勢曰：

天山之北，地氣寒冽，宜於牧；天山之南，地氣暑濕，宜於耕。然觀全疆土宜，皆殖五穀，黍稷稻粱麥菽胡麻之屬，長穗碩實，滿車滿篝。而大藪具區，豐草彌望無際，南北郡邑，所在皆是，蓋全疆之地，皆宜耕牧，而牧之利尤大且厚。若夫莎車，英吉沙爾，葉城、皮山，和闐，洛浦之蠶桑，吐魯番之麻棉葡萄，哈密之瓜，焉耆，庫車之梨杏，葉城之石榴，綏來甯遠之蘋婆類，皆垂名西域。中外商賈販易絲棉毛革者迹屬於道，洵土著之佳植，物產之巨宗。而鹽澤之利，家給人足，不假財力。生之有道，爲之得法，庶富之效，可馴致也。曾子曰：「有人此有土，有土此有財，有財此有用。」今考世界地理諸書，新疆面積四百四十九萬一千一百方里，以五百四十畝爲一方里計之，現墾之田，僅一千七百七十五分之一耳。此其故不在於無土，在於無人。無人，則雖有土與無土等耳。財出於土，而土出於人，新疆地廣民稀，勞來生聚，實邊之策，蓋莫有先於此者，方前大學士左宗棠聚天下財力兵力以事西域，若及是時，專撥十營壯勇，仿漢時田卒之制，開渠墾荒，招徠流散，分給田畝耕植以爲生聚之計，十年之間，舉天山南北，可以盡地利，無復棄土。乃舍此不圖，安於苟簡，坐失良會。今則關內諸行省協金不繼，府庫空匱，歲入不能當所出。求曩日財力，舉此大政，不可復得，是足惜耳！

先生言下慨然。先生治理新疆，注重調查，知漢族不法官吏恣爲淫虐，其浮征糧草，逾原額七八倍。且自制權衡，每柴百斤不足二十斤，每銀十兩不及三四兩。

而稅厘局卡殘虐尤甚。維民敢怒而不敢言。先生創立新章，統一度量衡，維民不
諳漢語，不識漢文，先生令凡官方文告，一律用維漢兩文字發布，以免通事蒙蔽
爲奸。廉政勵治，行之期年，庫儲大裕，先生提銀百萬兩，創設官錢局，特出紙
幣，根絕現銀舞弊。紙幣值百兩，反值實銀一百二十餘兩。此一治策，影響極深遠。
維民愛戴先生，呼爲「老大人」，幣即「老大人幣」也。後數十年間，幣值非他
幣所可比。

新疆接俄境，俄人自我北路設立台站，上接鐵路以達京師，商民覷其往來之
便，費廉而時速，遠近函牘及物品爭相送輸，一歲入俄郵資至俄銀盧布十萬以上。
先生上奏「非自設郵政，不能保我固有之權利」乃創建之。創辦一年，東西路通，
二年而北路通，三年而天山以南諸府、廳、州、縣，巨干分支，以次告成。此杜
俄人覷覬之心，而新疆有郵政，實自先生始。

為民生及國防計，先生意爲創鐵路爲當務之急，乃曰：

蓋新疆爲四塞天塹之國，不患其不能守，而患其不能通。通則強，不通則
弱，通則富，不通則貧。況夫環我邊界之上，俄人輪軌包絡西北，風馳電

掣，朝駕夕至。我苟不謀所以通之，一旦禍發，必有束手受困之勢。

惜先生此謀因財匱未能實行。且先生爲政，爲民所喜，爲民所思，於上則有不敬，爲巡撫聯魁所忌恨，上奏彈劾。袁大化來撫新疆，始悉先生歷年所設施及被劾之故。乃謂先生曰：「吾初聞人言，公作事專橫，有難乎爲上之勢，公之開缺，實余函求長帥所爲者。今一見公，實與所聞迥異，失一臂助，後悔無及！」因堅留先生在新疆，謂將具疏奏留。先生曰：「家有八旬餘老母，藉此回家團聚，稍盡人子之心，是天假之緣也。」去之已決，無挽回。根治新疆諸策，泡影矣。

先生在任之日，慨念前人沐櫛之勞，文治武功，歷時愈遠，愈益湮沒墜失，無可徵信。乃創編新疆圖志一百十六卷。設局於藩署之西偏，志例皆先生手定，分門纂輯。後經先生一一改定潤色，始成定本。先生爲清末研究新疆問題有成就者，其自撰有國界志，山脈志，兵事志，訪古錄，新疆小正，禮俗志，道路志，建置志，土壤表。而多人之撰，史才史識互異，珠石具陳，是此書一弊端。然兼容並包，涉及政治，軍事、經濟、文化諸領域，又縱橫交織，除地理位置、戶口、民族等外，又述說其沿革史，貫串古今。史志結合，織然成章。且述說有據，引文獻數十種，信史也。先生業績，此志之。

先生六十四歲，即民國三年，清史館成立，趙爾巽爲館長，先生爲總纂。七十六歲，即民國十五年，赴日本開文化會，研究纂修續四庫全書提要事宜。此書已著成，文稿半在大陸，半在臺灣，筆者希冀不遠將來能合璧刊行，於祖國文化建樹，亦一功德矣。

先生七十八歲，即民國十七年，應張學良之聘，爲萃升書院山長，且講授經學。同聘者吳向之講授史學，吳北江講授詞章。張學良少時爲先生弟子，在書院仍嚴師事。民國十八年春回北平，是年九月十八日，日軍佔我東北三省，先生塡詞三闋，憤然辭去日本退還庚子賠款所辦之東方文化會總裁職務。

隱居僻巷，終日著書。八十六歲正月十五夜先生賞月、飲酒、食元宵。孫輩張燈爲戲，先生得天倫之樂，談笑風生。於翌晨仍酣睡，無疾而終。消息發自各大報云：「文壇負宿望，王樹枏氏逝世。」既卜葬於宛平西山之麓。

行唐尚秉和撰墓志銘，及後撰故新疆布政使王公行狀。有云：

凡公所至，以剔弊爲先，便民爲亟，而公家收入，無不驟增。故所至民喜，所去民思，而官只布政使，未能大用，以盡其所負，世尤惜之。公材力精強，自入仕，終日案牘，仍終日著書。既巡歷窮邊，凡山川，風俗，草木，鳥獸之奇形詭狀，悉爲歌咏，發爲文章，門戶開張，鏗訇藻采，望而知爲奇偉人也。而小學特精，常以爾雅，廣雅，夏小正諸書訂證經文，俾還舊字，博通淹貫，如數家珍，皆昔儒所未有。蓋自宋元以來，能文章者，箋注訓詁或有所不逮，攻考據者，文或拘促黯陋，不副其所學，唯公能兼而有之。

又云：

公宦游歸來，清貧如故，而服御簡陋，不改其恒。幼從黃子壽學爲駢體，後與吳冀州游，頓改古文，洞明義法，其神悟蓋由於天授也。

先生著作列寫如下：

校正孔氏大戴禮記　十三卷

中庸鄭朱異同說　一卷

爾雅郭注異同考　一卷

建炎前議 一卷
墨子三家校注補正 二卷
夏小正訂經 一卷
夏小正訂傳 四卷
尙書商誼 三卷
趙閑閑詩集目錄年譜 十四卷
廣雅補疏 四卷
爾雅郭注佚存補訂 二十卷
費氏古易訂文 十二卷
離騷注 一卷
天元草 五卷
十月之交日食天元草 二卷
彼得興俄記 一卷
歐洲族類源流略 五卷

蟄叟　一卷

歐洲戰事本末　三十二卷

希臘學案　四卷

希臘春秋　八卷

新疆國界志　八卷

新疆州賑志　六卷

新疆兵事志　二卷

新疆訪古錄　二卷

新疆小正　三卷

新疆禮俗志　一卷

新疆道路志　四卷

新疆土壤表　一卷

新疆建置志　一卷

新疆實業志　一卷

武漢戰記　一卷
大清畿輔先哲傳　四十卷
畿輔烈女傳　六卷
大清畿輔書徵　四十一卷
學記箋證　四卷
將吏法言　八卷
說文建首字義　五卷
周易釋貞　一卷
冀縣志　二十卷
法源寺志　八卷
左氏春秋經傳義疏　一百五十卷
新城縣志　二十四卷
左氏春秋僞傳辨　八卷
焦易說詩　四卷

爾雅訂經　二十五卷
爾雅說詩　二十二卷
莊子大同注　二十二卷
文莫室詩集　八卷
陶廬詩續集　十二卷
陶廬文內集　三卷
陶廬文集　二十卷
陶廬箋牘　四卷
陶廬外篇　一卷
陶廬駢文　一卷
清語林　四十卷
三食神仙齊雜記　十五卷
屬國列傳　四卷
食貨志　六卷

清史地理志　二十七卷

右書六十種六百九十四卷。又詩話，陶廬隨筆，逸民傳，叛逆傳，計四種，卷數不詳。編輯張文襄公全集二百二十九卷，楊增新文牘，日記若干卷。畿輔通志不少部分出自先生手筆。先生天文學未定稿，我收藏之，文革時全毀。以上略陳，先生大傳，俟之他日。

（註：作者王居恭係王樹〇先生之孫，現在北京某大學講授離散數學）